200 recettes étudiants

200 recettes
étudiants
MARABOUT

Publié pour la première fois en Grande-Bretagne en 2013 par Hamlyn, département d'Octopus Publishing Group Ltd, sous le titre *Hamlyn Quick Cook Student*.

Crédits photos © Octopus Publishing Group Limited
Toutes les photos sont de William Shaw,
sauf : pages 142-143 © Ian Wallace ;
6-7, 36-37, 90-91, 188-189.

Traduit de l'anglais par Florence Raffy.
Mise en pages : Nord Compo.
Suivi éditorial : Natacha Kotchetkova.

Pour Marabout, le principe est d'utiliser des papiers composés de fibres naturelles, renouvelables, recyclables et fabriquées à partir de bois issus de forêts qui adoptent un système d'aménagement durable. En outre, Marabout attend de ses fournisseurs de papier qu'ils s'inscrivent dans une démarche de certification environnementale reconnue.

Édité par Hachette Livre – Département Marabout
58, rue Jean-Bleuzen, 92170 Vanves

Achevé d'imprimer en novembre 2016
sur les presses de Pollina, France, L78531
73.0385.0 / 01
ISBN : 978-2-501-11897-2
Dépôt légal : janvier 2017

sommaire

introduction

Les repas des étudiants

La vie d'un étudiant ne se résume pas à faire des études supérieures. Il faut aussi apprendre à gérer le quotidien en préparant soi-même ses repas avec un budget souvent serré. Bien sûr, la restauration rapide peut sembler la solution la plus facile et la moins chère, mais c'est un mauvais calcul car vous ne serez pas aussi rassasié qu'avec un repas fait maison. De plus, ce type d'alimentation vous rendra au mieux somnolent, au pire malade ! Il est donc préférable d'opter pour des repas sains et peu coûteux à préparer soi-même. Feuilletez ce livre pour trouver les recettes qui vous tentent. Il en existe pour toutes les occasions : pour vous caler après un entraînement sportif ou une fête, pour un dîner entre amis, et un chapitre est entièrement consacré aux recettes qui boostent le cerveau pour améliorer la concentration.

Il n'y a aucune raison pour que cuisiner rime avec corvée. Nos conseils vous aideront à préparer des repas de manière plaisante et à gérer au mieux votre budget pour réaliser des repas sains et délicieux.

Conseils pour faire les courses

Pour gérer au mieux son budget, il est important de planifier les repas de la semaine, de faire la liste des aliments à acheter et de s'y tenir. Il est facile de craquer pour des bonbons ou des aliments chers, au risque de ne plus pouvoir acheter les aliments de base. Évitez aussi de faire les courses le ventre vide car les tentations sont plus fortes.

Essayez de trouver des produits secs et des conserves en gros : cela permet de faire des économies à long terme. Vous trouverez souvent du riz ou du couscous vendu en sac de 5 ou de 10 kilos dans les épiceries asiatiques ou orientales à des prix inférieurs à ceux des supermarchés. Profitez des promotions (2 pour le prix de 1) uniquement pour les produits qui se conservent longtemps et si vous êtes sûr de les utiliser (plutôt que de les laisser traîner dans le placard). Faites la fin du marché pour faire de bonnes affaires. Vous devrez peut-être faire preuve d'un peu d'audace avec les produits trouvés, mais cela vous donnera l'occasion de vivre des aventures culinaires très intéressantes !

Dans le placard

- huile de cuisson (d'olive, végétale, de sésame)
- tomates en boîte
- haricots et autres légumes secs en conserve (blancs, cannellini, blancs à la sauce tomate, rouges ; pois chiches, lentilles vertes)
- poisson en boîte (thon, maquereau, saumon, sardine, anchois)
- légumes en boîte (petits pois, maïs)
- riz (long, à risotto)
- couscous
- pâtes (plusieurs formes)
- nouilles (de riz, aux œufs)
- boulgour
- flocons d'avoine
- fruits secs (abricots secs moelleux, raisins secs)
- fruits à coque (noix, amandes, noisettes)
- graines de tournesol
- farine (T55, avec levure incorporée, de maïs)
- levure chimique
- extrait de vanille
- sucre (blanc, roux)
- miel
- sirop d'érable
- œufs
- ail
- oignons
- pommes de terre

Herbes, épices et condiments

- sel et poivre
- épices moulues (cumin, coriandre, cannelle, gingembre)
- paprika
- piment séché
- herbes séchées (basilic, origan, romarin, sauge, thym, mélange d'herbes)
- moutarde en poudre
- moutarde à l'ancienne
- harissa
- Tabasco®
- sauce Worcestershire
- sauce au piment
- ketchup
- mayonnaise
- nuoc-mâm
- sauce soja (claire, foncée)
- bouillon cube ou concentré (légumes, volaille, bœuf)
- concentré de tomates
- vinaigres (de vin rouge, de cidre, balsamique)

Au congélateur

- viande et poisson surgelés (profitez des promotions)
- légumes surgelés (petits poids, épis de maïs, épinards)
- pâte feuilletée
- pains

Au réfrigérateur

- beurre
- lait
- yaourt nature
- fromage (gruyère, emmental, parmesan)
- herbes fraîches (coriandre, persil, ciboulette, menthe, basilic)
- piments frais
- gingembre frais
- citrons
- céleri
- carottes
- oignons verts
- lard
- chorizo

Des placards bien remplis

Si vous avez sous la main quelques ingrédients de base, vous gagnerez du temps en faisant vos courses et vous aurez toujours de quoi improviser un repas. Vous trouverez en page 9 la liste des ingrédients qu'il est utile d'avoir dans ses placards. Lorsque vos finances sont au plus bas, les produits de base peuvent vous fournir un bon repas pas cher. Certes, une assiette de pâtes avec une noix de beurre ne constitue pas le summum de l'inventivité culinaire, mais elle sera parfaite pour un dîner improvisé. Vous serez étonné de voir que le moins cher des ingrédients peut se transformer en véritable festin lorsque vous avez faim.

Facilitez-vous la vie en cuisine !

Préparez de grandes quantités pour manger le même plat 2 jours de suite et vous éviter de cuisiner tous les jours. Vous pouvez aussi réaliser un nouveau plat avec des restes en faisant preuve d'un peu d'imagination. Par exemple, un reste de sauce bolognaise pour pâtes peut se transformer en chili con carne le lendemain en y ajoutant un peu de Tabasco® et une boîte de haricots rouges.

Il est utile de maîtriser quelques recettes basiques pour vous éviter de vous rabattre toujours sur une pizza. Par exemple, faites cuire une pomme de terre et garnissez-la avec une boîte de thon, de la tomate et du fromage ou avec des haricots à la sauce tomate chauds pour préparer un repas rapide, copieux et nutritif. Vous pouvez aussi améliorer une sauce tomate avec ce que vous avez sous la main (jambon haché, champignons ou 1 pincée de piment séché) pour la servir avec des pâtes. Les restes de légume peuvent se transformer en soupe : faites-les revenir à feu doux, ajoutez de l'eau chaude et du bouillon cube dans la casserole et faites cuire jusqu'à ce que les légumes soient tendres ; vous pouvez les mixer ou les servir entiers. Et si vous avez des œufs, vous avez de quoi préparer un repas : que ce soit un œuf à la coque avec des mouillettes, un œuf au plat servi sur du pain grillé ou une simple omelette au fromage.

Une alimentation saine

Voici quelques petites astuces pour manger sainement. Par exemple, il ne faut pas sauter le petit déjeuner. Un smoothie aux fruits suffit à faire le plein d'énergie et à consommer une partie des 5 fruits et légumes préconisés par jour. Ajoutez quelques légumes surgelés dans une sauce pour augmenter l'apport en légumes, et si vous préparez du thon à la mayonnaise, incorporez une boîte de maïs. Pour les collations, optez pour des fruits frais ou secs, plutôt que des biscuits ou des chips. Pour un repas plus copieux, ajoutez une boîte de légumes secs. Choisissez des pâtes et du riz complets. De plus, variez les fruits et les légumes frais, les viandes et les poissons pour que votre alimentation soit riche en nutriments. Consommez les légumes et les fruits frais rapidement pour profiter au maximum de leurs vitamines. Variez les modes de cuisson : à l'eau,

à la poêle ou au four. Évitez les fritures et choisissez des morceaux de viande maigre. Si vous souhaitez manger un curry ou une pizza, essayez de les cuisiner vous-même. Vous pourrez ainsi les préparer avec moins de matières grasses et de sel pour un résultat souvent meilleur que les versions achetées. Inspirez-vous des recettes simples indiquées au dos des emballages des pâtes de curry ; achetez de la pâte à pizza prête à l'emploi et composez la garniture avec des légumes.

Hygiène dans la cuisine

Faites preuve de bons sens et suivez quelques règles simples afin d'éviter les intoxications alimentaires. Vérifiez la température de votre réfrigérateur (vous pouvez acheter un thermomètre de réfrigérateur pas cher). Rangez les produits réfrigérés et surgelés dès que vous rentrez des courses. Vérifiez les dates de péremption des produits dans le réfrigérateur afin de ranger à l'avant ceux avec les dates de péremption les plus proches.

Rangez la viande et le poisson crus en bas du réfrigérateur, à l'écart des autres aliments, et conservez les légumes dans le tiroir à légumes. Utilisez des récipients hermétiques pour stocker les restes ou couvrez-les de film alimentaire.

Ajoutez le nettoyage du réfrigérateur au planning de ménage – même s'il semble propre, un réfrigérateur est un nid à bactéries. Il en va de même pour la cuisine et les plans de travail. Videz régulièrement les poubelles, nettoyez le four, balayez le sol et lavez les plans de travail pour garder une cuisine propre, rangée et agréable pour cuisiner.

Amusez-vous !

La vie d'étudiant est censée être amusante et il n'est pas nécessaire que les courses et la préparation des repas deviennent une corvée. Invitez vos amis à vous aider et dégustez les repas ensemble : cela renforce l'amitié et vous serez invité à votre tour. Variez les recettes et soyez audacieux. La cuisine pourrait bien devenir une passion ! Expérimentez, amusez-vous, savourez vos plats et perfectionnez vos talents culinaires – vous pourrez ainsi impressionner votre famille pendant les vacances !

petits déj' & brunchs

muesli aux pruneaux et aux abricots secs

Pour **4 personnes**
Prêt en **10 minutes**

75 g de **noisettes entières**
75 g de **flocons d'avoine**
75 g de **céréales au son de blé de type All-Bran®**
2 c. à s. de **graines de tournesol** ou d'un **mélange de graines** (facultatif)
75 g d'**abricots secs** moelleux coupés en tranches
50 g de **pruneaux** moelleux coupés en dés

Pour **servir**
lait et **miel**
banane ou **pomme** coupée en tranches (facultatif)

Faites griller légèrement les noisettes dans une petite poêle à sec, 4 à 5 minutes à feu doux, en secouant la poêle de temps en temps. Mettez les noisettes dans un mortier, écrasez-les légèrement avec le pilon et laissez refroidir.

Mélangez les flocons d'avoine, les céréales au son de blé, les graines et les fruits secs. Ajoutez les noisettes grillées, puis répartissez le mélange dans 4 bols. Servez aussitôt avec du lait et du miel, et des tranches de banane ou de pomme, si vous le souhaitez. Vous pouvez doubler les quantités et conserver le muesli pendant 1 semaine dans un récipient hermétique.

porridge aux abricots et aux pruneaux

Prêt en **20 minutes**

Mettez 100 g d'abricots secs et 100 g de pruneaux coupés en tranches dans une petite casserole avec 100 ml de jus de pomme, ¼ de c. à c. de cannelle moulue et 2 c. à s. de miel liquide. Laissez cuire à feu doux 8 à 10 minutes jusqu'à ce que les fruits soient tendres et sirupeux. Laissez refroidir légèrement. Mettez 150 g de flocons d'avoine dans une casserole moyenne avec 1 litre de lait et 1 pincée de sel. Portez à ébullition sur feu moyen, en remuant souvent. Baissez le feu et laissez cuire à feu doux 12 à 15 minutes jusqu'à ce que les flocons d'avoine soient cuits et le porridge crémeux. Versez dans des bols et servez avec les fruits cuits.

pancakes au muesli et au miel

Pour **4 personnes**
Prêt en **20 minutes**

150 g de **farine**
2 c. à c. de **levure chimique**
2 **œufs**
275 ml de **lait**
3 c. à s. de **miel liquide**
200 g de **céréales de type granola** légèrement écrasées
50 g de **beurre**

Pour **servir**
miel liquide
yaourt à la grecque (facultatif)

Dans un saladier, tamisez la farine et la levure, puis creusez un puits. Dans un autre saladier, mélangez les œufs, le lait et le miel ; versez dans le puits. Mélangez à l'aide d'un fouet en incorporant la farine. Ajoutez le granola et mélangez.

Faites fondre une noix de beurre dans une grande poêle antiadhésive et versez des petites quantités de pâte dans la poêle pour former des pancakes épais d'environ 8 cm de diamètre. Faites cuire à feu moyen-doux 2 à 3 minutes. Retournez et faites cuire l'autre côté 1 minute. Poursuivez jusqu'à épuisement de la pâte. (La quantité de pâte doit permettre d'obtenir environ 16 pancakes.)

Disposez les pancakes sur des assiettes chaudes et servez aussitôt avec un filet de miel et 1 cuillerée de yaourt à la grecque, si vous le souhaitez.

granola

Prêt en **30 minutes**

Faites fondre 4 c. à s. de miel avec 50 g de beurre dans une grande casserole puis incorporez 200 g de flocons d'avoine, 50 g de noix hachées, 50 g d'un mélange de graines ou de graines de tournesol et ½ c. à c. de cannelle ou de gingembre moulus (facultatif). Étalez uniformément sur une grande feuille de papier sulfurisé et faites cuire 15 à 20 minutes dans un four préchauffé à 160 °C. Retirez du four et laissez refroidir légèrement, puis ajoutez 75 g de raisins secs. Servez avec du lait ou du yaourt. Conservez dans un récipient hermétique pendant 1 semaine environ.

smoothie aux myrtilles et au sirop d'érable

Pour **6 personnes**
Prêt en **10 minutes**

6 **bananes**
3 petites poignées de **myrtilles**
150 g de **muesli aux fruits secs**
600 g de **yaourt nature** ou **au fruit**
750 ml de **lait**
3 à 6 c. à s. de **sirop d'érable** ou de **miel**

Dans le bol d'un blender, mettez 2 bananes, 1 petite poignée de myrtilles, 50 g de muesli, 200 g de yaourt, 250 ml de lait et 1 à 2 cuillerées à soupe de miel ou de sirop d'érable. Mixez jusqu'à l'obtention d'une consistance lisse mais épaisse, puis versez dans 2 grands verres. Répétez l'opération 2 fois pour obtenir 6 smoothies en tout.

Si vous n'avez pas de blender, mettez le muesli dans 6 bols, ajoutez le yaourt et garnissez de tranches de banane. Parsemez les myrtilles sur le dessus, versez le miel ou le sirop d'érable et servez avec des cuillères pour un petit déjeuner copieux.

muffins aux myrtilles et au sirop d'érable

Prêt en **30 minutes**

Dans un saladier, mélangez 200 g de farine, 75 g de sucre en poudre, 2 c. à c. de levure chimique, ½ c. à c. d'extrait de vanille (facultatif) et 4 c. à s. de muesli. Fouettez 75 ml d'huile végétale avec 200 ml de yaourt nature et 2 œufs, et versez dans le saladier avec 100 g de myrtilles. Remuez sans trop mélanger. Répartissez dans un moule à 12 muffins graissé ou chemisé de papier sulfurisé. Faites cuire 18 à 20 minutes dans un four préchauffé à 180 °C. Servez chaud, arrosé de sirop d'érable.

muffins aux bananes et aux céréales

Pour **4 personnes**
Prêt en **30 minutes**

50 g de **chips de banane** écrasés
200 g de **farine**
2 c. à c. de **levure chimique**
½ c. à c. de **cannelle moulue** (facultatif)
50 g de **sucre roux** ou **blanc en poudre**
25 g de **son de blé** ou **de céréales All-Bran®** écrasées
2 **œufs**
50 g de **beurre fondu**
125 ml de **lait fermenté**
1 **banane mûre**, écrasée

Mettez les chips de banane dans un saladier avec les autres ingrédients secs. Dans un saladier, fouettez les œufs, le beurre, le lait fermenté et la banane.

Incorporez les ingrédients liquides dans les ingrédients secs et remuez sans trop mélanger. Répartissez la pâte dans un moule à 12 muffins graissé ou chemisé de papier sulfurisé. Faites cuire 18 à 22 minutes dans un four préchauffé à 180 °C jusqu'à ce que les muffins soient gonflés et fermes au toucher. Posez-les sur une grille pour les faire refroidir légèrement. Servez chaud.

toasts banane-confiture

Prêt en **10 minutes**

Faites griller et beurrez 4 tranches de pain aux céréales ou complet. Dans un saladier, écrasez 2 bananes mûres avec ½ c. à c. de cannelle moulue et 2 c. à c. de miel liquide. Étalez en couches épaisses sur le pain et ajoutez 1 c. à c. de confiture de votre choix. Servez avec du jus d'orange et du yaourt pour un petit déjeuner équilibré.

yaourt à la vanille et à la banane

Pour **4 personnes**
Prêt en **10 minutes**

4 grosses **bananes** mûres
1 c. à s. de **miel liquide**
les **graines** de 1 **gousse de vanille** ou 1 c. à c. d'**extrait de vanille**
500 g de **yaourt nature** ou **à la vanille** + un peu pour servir (facultatif)
myrtilles fraîches pour servir

Pelez et hachez grossièrement les bananes et mettez-les dans un saladier avec le miel et les graines de vanille ou l'extrait de vanille.

Écrasez les bananes en purée et mélangez-les avec le yaourt.

Versez dans des tasses et ajoutez les myrtilles sur le dessus et un peu de yaourt, si vous le souhaitez.

gâteaux à la banane et à la vanille

Prêt en **30 minutes**

Battez 1 œuf, 100 g de beurre ramolli, 75 g de sucre roux, les graines de 1 gousse de vanille ou 1 c. à c. d'extrait de vanille et 1 banane mûre, écrasée en purée. Incorporez 100 g de farine et 1 c. à c. de poudre à lever. Versez dans une plaque de 8 moules à muffin beurrés ou chemisés de caissettes en papier. Enfournez 18 à 20 minutes à 180 °C jusqu'à ce qu'ils soient gonflés et dorés. Retirez du four, démoulez sur des assiettes et servez chaud avec de la crème anglaise ou de la crème liquide.

muffins anglais aux œufs pochés et au jambon

Pour **2 personnes**
Prêt en **10 minutes**

2 c. à c. de **vinaigre blanc** (ou **de cidre**)
4 **œufs**
15 g de **beurre**
15 g de **préparation en poudre pour sauce hollandaise** en sachet
150 ml de **lait**
2 **muffins anglais** coupés en deux
150 g de **jambon** tranché finement
poivre

Portez de l'eau à petite ébullition dans une grande casserole et ajoutez le vinaigre. Créez un tourbillon avec une grande cuillère et cassez délicatement 1 œuf dans l'eau, puis un deuxième. Faites cuire 3 minutes, puis retirez les œufs avec une écumoire et réservez-les au chaud. Répétez l'opération avec les œufs restants.

Faites fondre le beurre dans une petite casserole et incorporez la sauce hollandaise en poudre. Versez lentement le lait en remuant. Portez à ébullition, puis baissez le feu et laissez cuire à feu doux 1 à 2 minutes.

Faites griller les muffins et disposez-les sur des assiettes. Garnissez chaque moitié de muffin de jambon. Mettez 1 œuf poché par-dessus puis nappez de sauce hollandaise. Poivrez puis servez.

œufs cocotte au jambon

Prêt en **30 minutes**

Faites chauffer 25 g de beurre dans une grande poêle et faites blondir 3 oignons émincés sur feu moyen 3 à 4 minutes. Ajoutez 125 g de feuilles d'épinard lavées et remuez 1 à 2 minutes pour les faire fondre. Hors du feu, ajoutez 200 g de jambon haché et 1 c. à s. de ciboulette hachée ou de persil (facultatif). Versez le mélange dans un plat à four peu profond beurré, puis cassez délicatement 4 petits œufs sur le dessus. Versez 100 ml de crème liquide entière sur les œufs, saupoudrez de parmesan râpé (ou autre fromage italien dur) et faites cuire 15 à 20 minutes dans un four préchauffé à 200 °C jusqu'à ce que les œufs soient cuits mais encore crémeux. Retirez du four et servez avec du pain. (Vous pouvez aussi diviser le mélange dans 2 plats individuels ou ramequins ; faites cuire 10 à 15 minutes.)

bagels au saumon fumé et au fromage frais

Pour **4 personnes**
Prêt en **10 minutes**

4 **bagels nature** ou **à l'oignon** coupés en deux
6 c. à s. de **fromage frais nature (type St Môret®)** ou **à la ciboulette et à l'oignon**
¼ de **concombre** coupé en tranches (facultatif)
125 g de **chutes de saumon fumé**
1 c. à s. de **ciboulette** hachée (facultatif)
4 c. à s. de **jus de citron**
poivre

Disposez les bagels, côté coupé vers le haut, sur une plaque à pâtisserie et faites-les dorer sous le gril du four préchauffé à température moyenne 2 à 3 minutes.

Étalez le fromage frais sur la moitié inférieure des bagels, ajoutez le concombre (facultatif), puis les chutes de saumon fumé et parsemez la ciboulette hachée (facultatif). Arrosez de jus de citron et poivrez généreusement.

Refermez les bagels avec l'autre moitié puis servez.

œufs brouillés au saumon fumé

Prêt en **20 minutes**

Faites fondre 50 g de beurre dans une grande casserole antiadhésive et faites fondre 2 échalotes finement hachées 7 à 8 minutes sur feu doux. Battez 8 œufs dans un saladier avec 75 ml de lait, 50 g de fromage frais (type St Môret®) et 1 bonne pincée de poivre noir. Versez le mélange dans la casserole et remuez doucement sur feu très doux 5 à 6 minutes jusqu'à ce que les œufs soient légèrement cuits mais encore crémeux. Faites griller 4 bagels comme ci-dessus, ou 8 petites tranches de pain aux graines. Beurrez les bagels ou les tranches de pain et disposez-les sur des assiettes. Ajoutez les œufs brouillés sur les bagels ou le pain puis recouvrez de 125 g de chutes de saumon fumé. Garnissez de 1 c. à s. de ciboulette hachée, si vous le souhaitez, et assaisonnez avec du poivre noir.

beignets de maïs au piment

Pour **4 personnes**
Prêt en **20 minutes**

50 g de **farine**
¼ de c. à c. de **levure chimique**
2 **œufs**
2 c. à s. de **sauce au piment douce** + un peu plus pour tremper
400 g de **maïs** en conserve, égoutté
50 g de **beurre**
sel et **poivre**

Mettez la farine dans un saladier, ajoutez les œufs et la sauce au piment. Mélangez à l'aide d'un fouet puis incorporez délicatement le maïs, du sel et du poivre.

Faites fondre environ un tiers du beurre dans une poêle et déposez 5 ou 6 cuillerées à soupe de pâte dans la poêle en les espaçant et en les aplatissant légèrement. Faites cuire 3 minutes à feu moyen-doux jusqu'à ce que le fond des beignets soit doré, retournez et faites cuire l'autre côté 2 à 3 minutes. Répétez l'opération 2 fois avec le reste du beurre et de la pâte pour obtenir environ 16 beignets.

Servez chaud avec de la sauce au piment pour tremper, si vous le souhaitez.

muffins au maïs et au piment

Prêt en **30 minutes**

Dans un saladier, tamisez 225 g de farine, 1 c. à c. de levure chimique, ½ c. à c. de sel et ½ c. à c. de poivre. Mélangez la farine et 50 g de beurre du bout des doigts pour obtenir une sorte de sable, puis incorporez 1 c. à s. de ciboulette hachée (facultatif). Dans un autre récipient, fouettez 1 œuf avec 2 c. à s. de sauce au piment douce, 125 ml de lait, 75 ml d'huile végétale et 100 g de maïs en conserve, égoutté. Incorporez dans le mélange précédent et remuez sans trop mélanger. Répartissez la pâte dans un moule pour 12 muffins graissé ou tapissé de papier sulfurisé, saupoudrez 50 g de gruyère râpé et enfournez 18 à 20 minutes à 200 °C jusqu'à ce que les muffins soient gonflés et dorés.

croquettes de carotte, pomme de terre et feta

Pour **2 personnes**
Prêt en **30 minutes**

150 g ou 1 grosse **carotte** pelée et coupée en dés
350 g de **pommes de terre** pelées et coupées en dés
1 petit **œuf** légèrement battu
75 g de **feta**
1 c. à c. de **cumin moulu**
1 c. à s. de **persil haché** (facultatif)
2 **oignons** hachés
farine
3 ou 4 c. à s. d'**huile végétale**
sel et **poivre**
2 **œufs pochés** ou **au plat** pour servir (facultatif)

Portez de l'eau légèrement salée à ébullition dans une grande casserole et faites cuire les carottes et les pommes de terre 12 minutes environ. Égouttez-les et écrasez-les en purée pas trop lisse. Laissez refroidir, à découvert, au moins 10 minutes.

Incorporez l'œuf battu, la feta, le cumin, le persil, les oignons et 1 pincée de sel et de poivre à la purée de légumes. Formez 4 croquettes avec les mains farinées.

Versez l'huile dans une grande poêle antiadhésive peu profonde et faites frire les croquettes à feu doux 3 minutes environ de chaque côté jusqu'à ce qu'elles soient croustillantes et dorées. Égouttez sur du papier absorbant et servez avec les œufs au plat ou pochés, si vous le souhaitez.

dip à la feta et au persil, bâtonnets de carotte

Prêt en **10 minutes**

Dans un saladier, écrasez 100 g de feta émiettée, 1 c. à s. de persil haché, 3 c. à s. de crème fraîche, 1 c. à c. de jus de citron et 1 bonne pincée de poivre noir moulu. Versez dans un joli plat et servez avec des bâtonnets de carotte et du pain pita grillé, si vous le souhaitez.

quesadillas pour brunch

Pour **2 personnes**
Prêt en **10 minutes**

200 g de **purée de haricots** en boîte (produit mexicain)
4 **tortillas de blé**
1 petit **avocat** dénoyauté, pelé et coupé en dés
2 **tomates** coupées en dés
125 g de **mozzarella** coupée en tranches ou de **gruyère râpé**
laitue iceberg hachée pour servir (facultatif)

Étalez la purée de haricots sur 2 tortillas, puis ajoutez l'avocat et les tomates sur le dessus. Parsemez le fromage, puis recouvrez d'une autre tortilla.

Faites chauffer une grande poêle à frire et faites griller une quesadilla 1 à 2 minutes sur feu moyen, puis retournez-la pour faire griller l'autre côté. Recommencez avec la deuxième quesadilla. Servez avec de la salade, si vous le souhaitez.

burritos épicés pour brunch

Prêt en **20 minutes**

Faites chauffer 2 c. à s. d'huile végétale dans une poêle et faites fondre 1 oignon émincé à feu moyen 6 à 7 minutes. Ajoutez 200 g de champignons émincés et faites cuire 4 à 5 minutes. Incorporez 100 g de maïs en boîte égoutté et 4 saucisses coupées en tranches. Faites chauffer à feu doux 1 à 2 minutes. (Pour un plat végétarien, utilisez 210 g de pois chiches en boîte égouttés à la place des saucisses.) Versez la garniture sur 4 tortillas et ajoutez dans chaque tortilla 1 c. à s. de salsa de tomates épicée et quelques gouttes de Tabasco® pour plus de piquant. Parsemez 75 g de mozzarella coupée en dés ou râpée puis roulez chaque tortilla. Servez chaud.

sandwichs au poulet et au curry

Pour **2 personnes**
Prêt en **10 minutes**

200 g d'**aiguillettes de poulet**
1 c. à s. de **pâte de curry thaïe rouge** ou **verte**
2 c. à s. de **yaourt nature**
1 c. à s. de **chutney à la mangue** ou de **yaourt nature**
1 pain **ciabatta** coupé en deux
1 petite poignée de **salade iceberg** coupée en lanières
¼ de **concombre** coupé en tranches

Mettez le poulet dans un bol avec la pâte de curry et le yaourt nature. Mélangez, puis mettez le poulet sur la grille de la lèchefrite garnie de papier d'aluminium et faites cuire 7 à 8 minutes sous le gril du four préchauffé à température moyenne, en le retournant une fois.

Étalez le chutney à la mangue ou le yaourt nature sur la mie du pain ciabatta et garnissez de salade et de tranches de concombre. Ajoutez les aiguillettes de poulet, puis coupez le pain en quatre avant de servir.

bols de riz au curry

Prêt en **30 minutes**

Faites chauffer 2 c. à s. d'huile végétale dans une poêle et faites revenir 1 oignon grossièrement haché 4 à 5 minutes jusqu'à ce qu'il commence à dorer. Coupez 250 g de blancs de poulet sans peau en morceaux et faites-les cuire 10 minutes dans la poêle, en remuant souvent, jusqu'à ce qu'ils soient légèrement dorés. Incorporez 1 à 2 c. à s. de pâte de curry verte thaïe (en fonction du piquant souhaité) et faites cuire 1 minute, en remuant. Versez 200 ml de lait de coco et 125 ml de bouillon de poulet chaud dans la poêle ; laissez mijoter 10 minutes environ à feu doux. Servez le poulet sur des bols de riz thaï ou de riz long avec des feuilles de coriandre.

la veille d'exam

saumon aux herbes

Pour **4 personnes**
Prêt en **20 minutes**

75 g de **beurre**
2 **oignons verts** émincés
3 c. à s. d'un **mélange de fines herbes hachées** (par exemple, **persil**, **ciboulette**, **cerfeuil** et **estragon**)
1 c. à s. de **câpres** rincées et égouttées (facultatif)
1 c. à c. de **zeste de citron** finement râpé
1 c. à s. de **jus de citron**
4 filets de **saumon** sans arête de 150 g chacun, avec la peau
2 c. à c. d'**huile d'olive**

Pour servir
couscous cuit à la vapeur
quartiers de **citron**

Faites fondre le beurre dans une casserole et faites revenir les oignons à feu moyen-doux 2 à 3 minutes. Incorporez les herbes hachées, les câpres (facultatif), le zeste et le jus de citron, puis retirez du feu et réservez.

Frottez un peu d'huile sur les filets de saumon et faites chauffer une poêle. Faites cuire les filets de saumon, côté peau vers le bas, à feu moyen-vif 3 à 4 minutes, jusqu'à ce que la peau soit croustillante. Retournez délicatement les filets et faites cuire 3 à 4 minutes : le saumon doit être cuit tout en restant rose au centre. Couvrez de papier d'aluminium et laissez reposer 2 à 3 minutes dans un endroit chaud.

Mettez les filets de saumon dans des assiettes chaudes et arrosez de beurre aux herbes. Servez aussitôt avec du couscous et des quartiers de citron.

pâtes au saumon fumé et aux herbes

Prêt en **10 minutes**

Faites cuire 400 g de pâtes à cuisson rapide (spaghettis ou penne) dans de l'eau bouillante salée 3 à 5 minutes. Égouttez les pâtes et remettez-les dans la casserole, puis mélangez-les avec 4 c. à s. de pesto, 120 g de chutes de saumon fumé, 1 c. à s. de jus de citron et 3 c. à s. de crème fraîche. Assaisonnez de poivre noir et servez dans des bols chauds.

bœuf sauté au brocoli

Pour **2 personnes**
Prêt en **20 minutes**

1 c. à s. d'**huile végétale** ou de **sésame**
150 g de **rumsteck** coupé en fines lanières
1 **oignon** émincé
1 **poivron rouge** coupé en lanières
150 g de **brocoli** coupé en petites fleurettes
1 petite poignée de **germes de soja** (facultatif)
175 g de **nouilles fines aux œufs chinoises**
120 g de **sauce aux haricots noirs chinoise** ou **autre sauce pour wok**

Faites chauffer l'huile dans une poêle ou un wok et faites cuire le rumsteck à feu moyen-vif 2 minutes, en remuant, jusqu'à ce qu'il soit doré, puis retirez-le avec une écumoire et réservez.

Remettez la poêle sur le feu, en ajoutant un peu d'huile si nécessaire, et faites revenir l'oignon et le poivron 2 à 3 minutes. Ajoutez le brocoli et faites cuire 2 minutes, puis incorporez les germes de soja (facultatif) et faites cuire 1 à 2 minutes.

Faites cuire les nouilles 3 minutes environ, ou selon les indications de l'emballage.

Remettez le bœuf dans la poêle pour le réchauffer, ajoutez la sauce aux haricots noirs, puis versez les nouilles égouttées dans la poêle et mélangez. Servez dans 2 bols chauds.

chow mein de bœuf au brocoli

Prêt en **10 minutes**

Faites chauffer 2 c. à s. d'huile végétale dans une poêle et faites cuire les lanières de bœuf comme ci-dessus, puis retirez-les avec une écumoire et réservez. Ajoutez 200 g de fleurettes de brocoli dans la poêle avec 2 oignons émincés et faites sauter 2 à 3 minutes. Ajoutez 250 g de nouilles fraîches cuites dans la poêle et faites sauter 2 à 3 minutes pour réchauffer. Remettez le bœuf dans la poêle avec 120 g de sauce pour chow mein et remuez pour réchauffer. Servez aussitôt dans 2 bols.

salade de poulet à l'orange

Pour **2 personnes**
Prêt en **10 minutes**

1 **orange**
4 **cuisses de poulet rôties**
75 g de **cresson**
1 **avocat** dénoyauté, pelé et coupé en tranches
2 c. à c. d'**huile de noix** ou **d'olive**
cerneaux de noix (facultatif)

Coupez la base et le sommet de l'orange avec un couteau bien aiguisé. Posez l'orange à plat sur l'un des côtés coupés. Retirez le reste de peau et la membrane blanche en suivant la courbe de l'orange. Détachez les segments de l'orange en découpant entre les membranes avec le couteau. Réservez les segments.

Coupez les cuisses de poulet en lanières ou en tranches, en jetant les os et la peau. Répartissez le cresson dans 2 assiettes et disposez les segments d'orange, le poulet et les tranches d'avocat sur le cresson. Arrosez d'un filet d'huile de noix et ajoutez les cerneaux de noix (facultatif).

poulet rôti à l'orange

Prêt en **30 minutes**

Enveloppez 2 blancs de poulet dans 4 fines tranches de lard découennées et faites-les dorer dans une poêle avec 1 c. à s. d'huile d'olive à feu moyen-vif 2 minutes de chaque côté. Faites chauffer 200 ml de jus d'orange dans une casserole avec ½ c. à c. de thym séché et 2 c. à c. de moutarde à l'ancienne. Mettez le poulet dans un plat à four, versez le jus d'orange et enfournez 20 minutes environ à 200 °C jusqu'à ce que le poulet soit bien cuit. Coupez en grosses tranches, disposez sur 2 assiettes chaudes, versez le jus de cuisson et servez avec une salade de cresson et d'avocat.

pâtes aux légumes

Pour **4 personnes**
Prêt en **20 minutes**

4 c. à s. d'**huile d'olive** ou autre **huile végétale**
2 **gousses d'ail** émincées
400 g de **coquillettes** ou de **farfalle**
400 g de **fleurettes de brocoli**
200 g de **haricots verts** coupés en deux
12 **tomates cerises** coupées en deux
2 ou 3 c. à s. de **jus de citron**
sel et **poivre**

Faites chauffer l'huile dans une petite casserole et ajoutez l'ail. Faites-le ramollir à feu doux 1 à 2 minutes pour parfumer l'huile. Retirez du feu et laissez macérer.

Portez une casserole d'eau légèrement salée à ébullition et faites cuire les pâtes 10 à 12 minutes ou selon les instructions de l'emballage. Ajoutez le brocoli et les haricots verts 3 à 4 minutes avant la fin de la cuisson. Égouttez les pâtes et les légumes en réservant 2 cuillerées à soupe d'eau de cuisson.

Incorporez les tomates cerises délicatement dans les pâtes et les légumes avec l'huile aromatisée à l'ail, l'eau de cuisson réservée et le jus de citron. Assaisonnez avec 1 pincée de sel et beaucoup de poivre noir, puis servez dans 4 assiettes creuses.

gratin de pâtes aux légumes

Prêt en **30 minutes**

Faites cuire 300 g de penne dans de l'eau bouillante légèrement salée. Égouttez-les et remettez-les dans la casserole. Faites chauffer 2 c. à s. d'huile d'olive dans une grande poêle et faites cuire 1 oignon haché et 1 poivron rouge haché 6 à 7 minutes à feu moyen. Ajoutez 1 courgette grossièrement râpée, 125 g de champignons émincés et 150 g de fleurettes de brocoli (facultatif), et faites cuire 2 à 3 minutes jusqu'à ce que les légumes commencent à ramollir. Incorporez 400 g de sauce tomate pour pâtes ou de tomates hachées, et laissez mijoter à feu doux 2 à 3 minutes. Versez la sauce sur les pâtes égouttées avec 150 g de crème fraîche (facultatif, pour une version plus crémeuse), puis assaisonnez et mettez dans un grand plat à four. Recouvrez de 125 g de fromage râpé et enfournez 12 à 15 minutes à 220 °C.

poêlée bœuf, pommes de terre et épinards

Pour **4 personnes**
Prêt en **30 minutes**

3 c. à s. d'**huile végétale**
450 g de **steak de bœuf** coupé en lanières
1 **poivron rouge** coupé en morceaux
1 **oignon** coupé en grosses tranches
250 g de **patate douce** pelée et coupée en dés
500 g de **sauce balti**
3 **tomates** coupées en quartiers
200 g d'**épinards** lavés et grossièrement hachés

Faites chauffer 2 cuillerées à soupe d'huile dans une poêle et faites cuire les lanières de bœuf à feu moyen 3 à 4 minutes, en remuant de temps en temps, jusqu'à ce qu'elles soient à point. Retirez-les de la poêle avec une écumoire et réservez. Remettez la poêle sur le feu.

Ajoutez le reste de l'huile dans la poêle et faites cuire le poivron, l'oignon et la patate douce 5 à 6 minutes, en remuant souvent. Incorporez la sauce balti dans la poêle avec les quartiers de tomate, puis baissez le feu, couvrez et laissez mijoter à feu doux 15 minutes jusqu'à ce que les légumes soient tendres et que la sauce ait épaissi.

Remettez le bœuf dans la poêle, ajoutez les épinards et remuez sur le feu 1 à 2 minutes pour réchauffer la viande et faire fondre les épinards. Servez aussitôt.

curry de bœuf aux épinards

Prêt en **10 minutes**

Faites chauffer 2 c. à s. d'huile dans une grande poêle et faites dorer 450 g de steak de bœuf coupé en lanières 2 minutes à feu vif. Ajoutez 1 oignon émincé et faites cuire 2 minutes. Baissez le feu, ajoutez 2 c. à s. de curry de Madras ou de sauce balti et faites cuire 1 minute. Versez 400 ml de lait de coco et 200 ml de bouillon de bœuf ou de légumes chaud. Laissez mijoter 2 minutes à feu doux. Incorporez et faites fondre 200 g d'épinards grossièrement hachés. Servez avec du pain naan ou du riz.

couscous au maquereau et au poivron

Pour **4 personnes**
Prêt en **10 minutes**

250 g de **couscous**
300 ml de **bouillon de légumes** chaud ou d'**eau chaude**
1 **poivron vert** coupé en dés
2 **oignons verts** émincés
1 petit bouquet de **persil** haché
2 filets de **maquereau fumés**, sans peau et effilochés

Pour la vinaigrette
1 c. à s. de **harissa**
4 c. à s. d'**huile d'olive**
1 ½ c. à s. de **jus de citron**

Mettez le couscous dans un saladier et versez le bouillon bouillant. Couvrez et laissez reposer 5 à 6 minutes pour le faire gonfler.

Mélangez les ingrédients de la vinaigrette dans un bol.

Incorporez le poivron, les oignons verts et le persil dans le couscous avec 2 cuillerées à soupe de vinaigrette à l'aide d'une fourchette. Répartissez la salade de couscous sur des assiettes et ajoutez le maquereau sur le dessus. Servez la vinaigrette à part.

maquereaux et poivrons grillés

Prêt en **20 minutes**

Mélangez 4 c. à s. d'huile, 2 c. à c. de zeste de citron râpé, 3 gousses d'ail écrasées et 1 c. à s. de gingembre frais, râpé. Placez 8 petits filets de maquereau et 2 poivrons rouges coupés en quatre dans un plat peu profond. Versez la marinade et mélangez. Réservez 5 à 10 minutes. Mettez les filets de maquereau et les poivrons sur la grille de la lèchefrite garnie de papier d'aluminium, côté peau vers le haut, et faites cuire 4 à 5 minutes sous le gril du four chaud, en retournant une fois. Servez avec du couscous, arrosez de jus de cuisson.

pitas d'agneau grillé à la harissa

Pour **2 personnes**
Prêt en **10 minutes**

2 **steaks de gigot d'agneau** de 150 g chacun
1 c. à c. de **zeste de citron** finement râpé
1 c. à s. d'**huile d'olive**
2 à 4 c. à c. de **harissa**
4 c. à s. de **houmous**
2 **pains pita complets**

Pour servir (facultatif)
quartiers de **citron**
roquette

Mettez les steaks d'agneau dans un plat avec le zeste de citron, l'huile et 1 ou 2 cuillerées à café de harissa, et frottez pour bien enrober la viande. Mettez les steaks sur la grille de la lèchefrite garnie de papier d'aluminium et faites-les cuire 5 à 7 minutes sous le gril du four préchauffé à température moyenne-forte, en les retournant une fois : ils doivent être un peu roses au centre. Retirez et laissez reposer 2 minutes.

Mélangez 1 ou 2 cuillerées à café de harissa avec le houmous. Faites griller légèrement les pitas dans un grille-pain, puis mettez-les dans des assiettes chaudes et ajoutez 1 cuillerée de houmous sur chacune. Mettez les steaks d'agneau sur le houmous et versez le jus de cuisson. Servez avec des quartiers de citron et de la roquette, si vous le souhaitez.

brochettes d'agneau à la harissa

Prêt en **20 minutes**

Mélangez 1 c. à s. de harissa avec 2 c. à s. de yaourt nature, 1 c. à c. de zeste de citron finement râpé, 1 c. à s. de menthe hachée (facultatif) et ½ c. à c. de graines de cumin. Ajoutez 250 g de cubes d'agneau et mélangez. Réservez au moins 5 minutes. Enfilez les cubes d'agneau sur des brochettes, mettez-les sur la grille de la lèchefrite garnie de papier d'aluminium et faites cuire sous le gril préchauffé 6 à 8 minutes : l'agneau doit être bien grillé mais encore un peu rose. Laissez reposer 1 à 2 minutes, puis servez les brochettes avec du couscous et du houmous.

mijoté de poivrons, haricots rouges et épinards

Pour **4 personnes**
Prêt en **20 minutes**

3 c. à s. d'**huile d'olive**
2 gros **poivrons rouges** coupés en gros morceaux
3 **gousses d'ail** émincées
2 c. à c. de **cumin moulu** ou de **mélange d'épices mexicaines**, pour fajita par exemple (facultatif)
2 c. à s. de **concentré de tomates**
400 ml de **bouillon de légumes** chaud
400 g de **tomates concassées** en conserve
600 g de **haricots rouges** en conserve, rincés et égouttés
200 g de **feuilles d'épinard** surgelées, décongelées et égouttées
sel et **poivre**

Faites chauffer l'huile dans une casserole et faites revenir les poivrons et l'ail 5 à 6 minutes à feu moyen, en remuant souvent, jusqu'à ce qu'ils ramollissent.

Incorporez le cumin (facultatif) et faites cuire 1 minute avant d'ajouter le concentré de tomates, le bouillon chaud, les tomates concassées et les haricots rouges. Portez à ébullition, assaisonnez, couvrez et laissez mijoter 10 à 12 minutes à feu doux jusqu'à épaississement. Incorporez les épinards à la dernière minute de cuisson, puis versez dans des bols au moment de servir.

salade de poivrons, haricots rouges et épinards

Prêt en **10 minutes**

Dans un saladier, mélangez 1 poivron rouge et 1 poivron vert finement hachés, ½ concombre coupé en dés et 1 petit bouquet de coriandre (ou de persil) hachée avec 400 g de haricots rouges en conserve, rincés et égouttés. Ajoutez 3 c. à s. d'huile et 3 c. à s. de jus de citron vert, puis assaisonnez et mélangez délicatement avec 150 g de pousses d'épinard.

croquettes de saumon au piment

Pour **2 personnes**
Prêt en **30 minutes**

250 g de **filet de saumon** sans arête et sans peau coupé en dés
1 c. à s. de **sauce au piment douce**
1 petite **gousse d'ail** écrasée (facultatif)
2 **oignons verts** finement hachés
2 c. à s. de **coriandre** finement hachée
1 c. à c. de **zeste de citron vert** finement râpé (facultatif)
2 c. à s. d'**huile végétale**

Mettez les dés de saumon dans le bol d'un robot avec la sauce au piment, l'ail, les oignons verts, la coriandre et le zeste de citron vert. Hachez grossièrement (si vous n'avez pas de robot, hachez le saumon le plus finement possible avec un couteau et mélangez-le avec le reste des ingrédients). Versez dans un saladier, puis formez 2 croquettes avec les mains humidifiées. Posez-les sur une assiette, couvrez de film alimentaire et mettez au réfrigérateur 10 à 12 minutes pour les raffermir légèrement.

Faites chauffer l'huile dans une grande poêle antiadhésive et faites cuire les croquettes à feu moyen 5 à 6 minutes de chaque côté jusqu'à ce qu'elles soient dorées et bien cuites. Servez aussitôt avec du riz nature ou sauté à l'œuf.

quesadillas de saumon au piment

Prêt en **20 minutes**

Frottez un peu d'huile sur un filet de saumon de 200 g, salez et poivrez. Faites chauffer une poêle antiadhésive et faites cuire le filet de saumon 4 minutes environ de chaque côté jusqu'à ce qu'il soit juste cuit. Couvrez de papier d'aluminium et laissez reposer 2 à 3 minutes. Disposez 2 grandes tortillas souples sur le plan de travail et mettez dessus 2 oignons coupés en tranches et 1 avocat mûr mais ferme coupé en dés. Émiettez le saumon sur l'avocat et arrosez chaque tortilla avec 2 c. à c. de sauce au piment douce, puis recouvrez avec une deuxième tortilla. Faites griller les quesadillas, une à la fois, dans une grande poêle à sec 4 minutes environ, en retournant à mi-cuisson. Coupez des parts et servez chaud avec des quartiers de citron vert, si vous le souhaitez.

soupe pimentée aux légumes et pois chiches

Pour **4 personnes**
Prêt en **20 minutes**

2 c. à s. d'**huile d'olive** ou autre **huile végétale**
1 **oignon** haché
1 **poivron vert** ou **rouge** haché
1 **aubergine** coupée en dés
2 c. à c. de **gingembre frais**, pelé et haché
1 c. à c. de **piment séché**
6 **tomates** coupées en gros dés
900 ml de **bouillon de légumes** chaud
400 g de **pois chiches** en conserve, rincés et égouttés
sel et **poivre**

Faites chauffer l'huile dans une grande casserole et faites cuire les légumes et le gingembre 7 à 8 minutes jusqu'à ce qu'ils soient légèrement ramollis. Ajoutez le piment, les tomates, le bouillon chaud et les pois chiches. Portez à ébullition, baissez le feu et laissez mijoter 10 minutes à feu doux jusqu'à ce que les légumes soient tendres.

Mixez la soupe avec un mixeur plongeant. (Si vous ne possédez pas de mixeur, servez la soupe avec des morceaux.) Salez et poivrez, puis servez dans des tasses.

aubergines épicées aux pois chiches

Prêt en **30 minutes**

Coupez 2 aubergines en dés, puis mélangez-les dans un saladier avec 1 oignon haché, 1 poivron vert haché et 1 c. à s. de harissa. Faites chauffer 3 c. à s. d'huile d'olive ou autre huile végétale dans une grande casserole et faites cuire les légumes à feu moyen 6 à 7 minutes, en remuant souvent, jusqu'à ce qu'ils soient légèrement ramollis. Incorporez 2 × 400 g de tomates concassées en conserve et 400 g de pois chiches en conserve, rincés et égouttés. Assaisonnez, couvrez et faites mijoter 15 minutes à feu doux jusqu'à ce que les légumes soient tendres. Servez les aubergines épicées avec du couscous, si vous le souhaitez.

soupe au poulet et aux champignons

Pour **4 personnes**
Prêt en **20 minutes**

2 c. à s. d'**huile d'olive** ou autre **huile végétale**
1 **oignon** haché
1 **branche de céleri** hachée ou 1 **poireau haché**
400 g de **champignons** hachés
750 ml de **bouillon de poulet** ou **de légumes** chaud
225 g de **poulet cuit**, coupé en lanières
50 ml de **crème liquide** ou **épaisse**
sel et **poivre**
pain de campagne pour servir (facultatif)

Faites chauffer l'huile dans une grande casserole et faites cuire l'oignon et le céleri ou le poireau sur feu moyen 7 à 8 minutes jusqu'à ce qu'ils soient tendres. Ajoutez les champignons et faites cuire 3 à 4 minutes de plus, puis versez le bouillon chaud, portez à ébullition et laissez mijoter sur feu doux 5 à 6 minutes jusqu'à ce que tous les légumes soient tendres.

Retirez du feu et mixez la soupe avec un mixeur plongeant jusqu'à ce qu'elle soit bien lisse (sinon, passez-la à travers une passoire fine ou servez-la en morceaux). Incorporez le poulet et la crème ; salez et poivrez. Réchauffez 1 minute sans faire bouillir. Versez dans des mugs et servez avec du pain de campagne, si vous le souhaitez.

champignons farcis à l'ail et aux fines herbes

Prêt en **10 minutes**

Badigeonnez 12 gros champignons de Paris d'huile et mettez-les sur une plaque à pâtisserie recouverte de papier d'aluminium. Salez et poivrez, puis faites cuire 4 à 5 minutes sous le gril du four préchauffé à température moyenne. Sortez du four et ajoutez 1 c. à s. de fromage frais à l'ail et aux fines herbes (type Boursin®) sur chaque champignon ; faites fondre sous le gril 1 à 2 minutes. Servez sur du pain grillé ou de la salade verte.

salade de brocoli et haricots verts

Pour **2 personnes**
Prêt en **10 minutes**

200 g d'un **mélange de fleurettes de brocoli et de haricots verts fins**
400 g de **haricots borlotti** ou **blancs** en conserve, rincés et égouttés
1 **branche de céleri** hachée
½ petit **oignon rouge** émincé
1 petit **avocat mûr** dénoyauté, pelé et coupé en dés
1 c. à s. de **graines de tournesol**

Pour la vinaigrette
1 c. à s. de **jus de citron**
2 c. à s. d'**huile d'arachide** ou autre **huile végétale**
1 c. à s. de **sauce soja claire**

Faites cuire les haricots verts et le brocoli dans de l'eau bouillante légèrement salée 2 à 3 minutes jusqu'à ce qu'ils soient légèrement cuits. Égouttez-les et faites-les refroidir sous l'eau froide.

Dans un saladier, mélangez les haricots en conserve avec le céleri, l'oignon et l'avocat.

Fouettez les ingrédients de la vinaigrette dans un bol.

Ajoutez les haricots verts et le brocoli dans le saladier ainsi que la vinaigrette puis remuez délicatement. Mettez dans le plat de service et parsemez de graines de tournesol.

salade de riz, haricots verts et brocoli

Prêt en **30 minutes**

Faites cuire 175 g de riz complet. Rincez-le sous l'eau froide et égouttez-le. Faites cuire 125 g de haricots verts fins et 150 g de fleurettes de brocoli 2 à 3 minutes à l'eau. Rincez-les sous l'eau froide puis égouttez-les. Mélangez 200 g de haricots rouges en conserve, 200 g de maïs doux en conserve et 1 oignon vert émincé. Ajoutez le riz et le brocoli, 2 c. à s. de coriandre hachée et 1 c. à s. de jus de citron vert. Mélangez puis servez.

salade de riz au thon et à la ciboulette

Pour **4 personnes**
Prêt en **20 minutes**

300 g de **riz long**
400 g de **haricots rouges** en conserve, rincés et égouttés
200 g de **maïs** en conserve, rincé et égoutté
4 **oignons verts** émincés (facultatif)
400 g de **thon en conserve**, égoutté et émietté
2 c. à s. de **ciboulette** hachée
sel

Pour servir
feuilles de salade
vinaigrette

Portez de l'eau légèrement salée à ébullition dans une grande casserole, ajoutez le riz, baissez le feu et faites cuire 15 minutes environ. Mettez-le dans une passoire et faites-le refroidir sous l'eau courante. Égouttez-le bien.

Dans un saladier, mélangez les haricots rouges avec le maïs, les oignons verts (facultatif), le thon et la ciboulette. Incorporez le riz froid et dressez la salade dans des assiettes creuses. Servez avec de la salade verte et de la vinaigrette.

gratin de pommes de terre au thon

Prêt en **30 minutes**

Portez de l'eau salée à ébullition dans une grande casserole et faites cuire 1 kg de grosses pommes de terre, pelées et coupées en fines tranches, 8 minutes. Égouttez dans une passoire puis versez dans un grand plat à four beurré avec 2 c. à s. de ciboulette hachée et 400 g de thon en conserve, égoutté et émietté. Faites chauffer 300 ml de lait, 150 ml de crème entière, 1 gousse d'ail finement hachée et 1 bonne pincée de sel et de poivre. Portez à ébullition et versez sur les pommes de terre et le thon. Secouez le plat pour mélanger. Parsemez 125 g d'emmental ou de gruyère sur le dessus et enfournez 15 à 20 minutes à 220 °C.

émincé de dinde à la sauge et au citron

Pour **2 personnes**
Prêt en **20 minutes**

2 c. à s. d'**huile d'olive** ou autre **huile végétale**
250 g de **blanc de dinde** coupé en fines lanières
le **zeste** et le **jus** de ½ **citron**
1 **gousse d'ail** écrasée
2 c. à c. de **sauge** coupée en lanières + un peu pour servir
325 ml de **bouillon de légumes** chaud
150 g de **boulgour**
haricots verts ou **mange-tout** cuits à la vapeur pour servir (facultatif)

Dans un saladier, mélangez 1 cuillerée à soupe d'huile avec les lanières de dinde, le zeste et le jus de citron, l'ail et la sauge. Faites mariner 5 minutes au réfrigérateur.

Portez le bouillon de légumes à ébullition dans une casserole et ajoutez le boulgour. Couvrez et faites mijoter 7 minutes, puis éteignez le feu et réservez 10 minutes environ jusqu'à ce que les grains soient tendres et que le liquide ait été absorbé.

Faites chauffer une poêle avec le reste de l'huile et faites saisir la dinde marinée dans la poêle. Faites cuire 10 minutes à feu doux. Incorporez la dinde dans le boulgour avec une fourchette et mettez dans des assiettes. Ajoutez les feuilles de sauge et des haricots verts ou mangetout cuits à la vapeur, si vous le souhaitez.

ciabatta à la dinde, à la sauge et au citron

Dans un bol, écrasez à la fourchette 125 g de fromage frais (type St Môret®) avec 2 c. à c. de sauge hachée, 1 c. à c. de zeste de citron râpé et 1 c. à c. de jus de citron, ½ petite gousse d'ail (facultatif) et 1 pincée de sel et de poivre. Étalez en couche épaisse sur la mie de 2 pains ciabatta coupés en deux. Recouvrez de 125 g de viande de dinde cuite, coupée en tranches, et 1 petite poignée de roquette ou de pousses d'épinard. Servez froid ou faites griller dans un appareil à croque-monsieur 2 à 3 minutes.

gratin de pâtes complètes au bleu et aux noix

Pour **4 personnes**
Prêt en **30 minutes**

350 g de **penne complètes** ou autres pâtes
1 **brocoli** de 350 g environ coupé en petites fleurettes
2 c. à s. d'**huile d'olive** ou autre **huile végétale**
150 g de **cerneaux de noix** hachés
3 **oignons verts** émincés (facultatif)
2 c. à c. de **sauge** hachée ou 1 c. à c. de sauge séchée
150 ml de **crème liquide**
200 g de **fromage bleu doux** (par exemple, **gorgonzola** ou **Saint Agur**®) coupé en dés

Faites cuire les pâtes dans une grande casserole d'eau bouillante légèrement salée 11 minutes environ jusqu'à ce qu'elles soient tendres. Ajoutez le brocoli au cours des 3 à 4 dernières minutes de cuisson. Égouttez et remettez les pâtes et le brocoli dans la casserole.

Faites chauffer l'huile dans une poêle et faites revenir les noix et les oignons verts (facultatif) à feu moyen-doux 2 à 3 minutes, en remuant souvent, jusqu'à ce qu'ils soient dorés. Incorporez la sauge, la crème et 150 g de fromage bleu, et faites cuire jusqu'à ce que le fromage soit fondu et que la sauce soit crémeuse. Versez sur les pâtes et le brocoli égouttés, mélangez, puis versez le tout dans un plat à four.

Parsemez le reste du fromage sur le dessus et enfournez 15 minutes environ à 200 °C pour que le dessus soit doré.

salade de pâtes au bleu

Prêt en **10 minutes**

Faites cuire 400 g de pâtes à cuisson rapide (fusillis ou penne) dans de l'eau bouillante légèrement salée 3 à 5 minutes. Refroidissez-les sous l'eau froide, égouttez-les et remettez-les dans la casserole. Ajoutez 3 c. à s. de pesto, 2 c. à c. de jus de citron et 2 c. à s. de crème fraîche. Mélangez et versez dans des bols, puis ajoutez 150 g de fromage bleu émietté (roquefort ou stilton) et 75 g de cerneaux de noix.

salade de sardines aux trois haricots

Pour **4 personnes**
Prêt en **10 minutes**

400 g de **haricots blancs** ou de **haricots cannellini** en conserve, rincés et égouttés
200 g de **haricots rouges** ou **noirs** en conserve, rincés et égouttés
300 g de **fèves** ou de **flageolets** (ou de **pois chiches**) en conserve, rincés et égouttés
2 × 120 g de **sardines en conserve à l'huile** ou **au naturel**, égouttées et émiettées
1 **oignon rouge** finement haché
2 **branches de céleri** émincées (facultatif)
1 c. à s. de **vinaigre de vin rouge**
3 c. à s. d'**huile d'olive**
sel et **poivre**

Mélangez délicatement tous les ingrédients dans un saladier et assaisonnez.

Versez dans des bols au moment de servir.

linguine aux sardines et aux haricots

Prêt en **20 minutes**

Faites chauffer 2 c. à s. d'huile d'olive dans une poêle et faites cuire 1 oignon rouge finement haché, 2 branches de céleri finement hachées et 2 gousses d'ail finement hachées 10 à 12 minutes à feu très doux sans les faire colorer. Incorporez dans la poêle 2 × 120 g de sardines en conserve égouttées et 400 g de haricots blancs rincés et égouttés, et faites cuire 2 à 3 minutes pour réchauffer. Faites cuire 400 g de linguine ou de spaghettis dans de l'eau bouillante légèrement salée 11 minutes environ ou selon les instructions de l'emballage. Égouttez les pâtes, remettez-les dans la casserole et ajoutez les haricots et les sardines. Mélangez puis servez dans des assiettes chaudes.

pâtes à la sauce tomate au chorizo

Pour **4 personnes**
Prêt en **20 minutes**

2 c. à s. d'**huile d'olive** ou **autre huile végétale**
200 g de **chorizo** coupé en dés
2 **gousses d'ail** hachées
2 × 400 g de **tomates concassées** en conserve
½ c. à c. de **piment séché**, émietté
150 g de **poivrons grillés** en conserve, égouttés et grossièrement hachés
400 g de **pâtes** (**fusillis** ou **penne**, par exemple)

Faites chauffer l'huile dans une grande poêle ou une casserole et faites revenir le chorizo 3 à 4 minutes pour qu'il soit légèrement doré. Ajoutez le reste des ingrédients, sauf les pâtes, et portez à ébullition. Baissez le feu et faites mijoter 15 minutes à feu doux, en remuant de temps en temps, jusqu'à ce que la sauce épaississe.

Faites cuire les pâtes dans de l'eau bouillante légèrement salée environ 11 minutes ou selon les indications de l'emballage. Égouttez et mettez dans des bols. Nappez de sauce tomate au chorizo puis servez.

riz sauté au chorizo et à la tomate

Prêt en **10 minutes**

Faites chauffer 2 c. à s. d'huile d'olive dans une poêle et ajoutez 1 oignon rouge coupé en deux puis émincé, 2 gousses d'ail émincées, 1 piment rouge épépiné et finement haché (facultatif) et 200 g de chorizo coupé en dés. Faites cuire 3 à 4 minutes à feu moyen-vif pour faire légèrement ramollir. Incorporez 500 g de riz cuit et 200 g de petits pois décongelés ou en conserve. Remuez sur le feu 2 à 3 minutes jusqu'à ce que le plat soit bien chaud, puis ajoutez 2 tomates épépinées et coupées en dés. Servez dans des assiettes chaudes.

nouilles aux carottes et au brocoli sautés

Si visite Doubler

Très bon

Pour **2 personnes**
Prêt en **20 minutes**

1 c. à s. d'**huile végétale**
250 g de **brocoli** coupé en fleurettes
2 **carottes** pelées et coupées en petits bâtonnets
2 **oignons verts** coupés en tronçons de 2 cm de long
150 g de **champignons** coupés en deux ou en grosses tranches
175 g de **nouilles aux œufs**
2 c. à s. de **sauce au piment douce**
1 c. à s. de **sauce soja** + un peu pour servir

Faites chauffer l'huile dans une grande poêle un wok et faites sauter le brocoli et les carottes 3 minutes à feu moyen-chaud jusqu'à ce que les légumes commencent à ramollir.

Ajoutez les oignons et faites cuire 2 minutes jusqu'à ce qu'ils soient légèrement dorés, puis ajoutez les champignons. Faites sauter 3 à 4 minutes jusqu'à ce que les champignons soient tendres.

Faites cuire les nouilles dans de l'eau bouillante 3 à 4 minutes ou selon les instructions de l'emballage, puis égouttez-les.

Retirez les légumes sautés du feu, versez la sauce au piment et la sauce soja, puis ajoutez les nouilles et mélangez pour bien les enrober. Servez dans 2 bols chauds avec de la sauce soja, si vous le souhaitez.

gratin de brocoli et de carottes

Prêt en **30 minutes**

Portez de l'eau légèrement salée à ébullition dans une grande casserole. Coupez 2 carottes pelées en bâtonnets et mettez-les dans l'eau avec 200 g de brocoli et 200 g de chou-fleur. Faites cuire 3 à 4 minutes jusqu'à ce qu'ils soient presque tendres, puis égouttez-les. Remettez-les dans la casserole et incorporez délicatement 350 g de sauce pour pâtes à base de tomates. Versez dans un plat à four et ajoutez 2 tranches de pain légèrement rassis, coupées en dés. Recouvrez avec 125 g de fromage râpé (gruyère ou mozzarella) et enfournez 20 minutes à 200 °C jusqu'à ce que le dessus soit doré. Servez avec une salade verte.

lentilles au chou rouge et à la betterave

Pour **2 personnes**
Prêt en **20 minutes**

2 c. à s. d'**huile d'olive** ou autre **huile végétale**
½ petit **chou rouge** émincé
2 **oignons verts** émincés + un peu pour décorer
1 **betterave** crue grossièrement râpée
1 c. à c. de **cumin moulu**
300 g de **lentilles vertes** en conserve, rincées et égouttées
sel et **poivre**
yaourt nature ou **à la grecque** pour servir

Faites chauffer l'huile dans une casserole et faites revenir le chou rouge et les oignons 5 minutes environ à feu moyen jusqu'à ce qu'ils commencent à ramollir. Incorporez la betterave, couvrez et faites cuire 8 à 10 minutes, en remuant de temps en temps, jusqu'à ce que les légumes soient tendres.

Saupoudrez de cumin moulu et mélangez sur le feu 1 minute, puis ajoutez les lentilles et faites chauffer. Salez et poivrez. Servez dans 2 assiettes chaudes avec 1 cuillerée de yaourt ; décorez d'oignon vert émincé.

salade de chou rouge

Prêt en **10 minutes**

Dans un saladier, mélangez ½ petit chou rouge émincé, 1 petite betterave crue grossièrement râpée et 1 petite pomme pelée, épépinée et grossièrement râpée. Dans un bol, mélangez 1 c. à s. de moutarde à l'ancienne, 1 oignon vert finement haché, 2 c. à c. de vinaigre de vin et 2 c. à s. d'huile d'olive. Versez sur les légumes et mélangez. Servez avec des pains pita complets chauds.

haricots blancs, tomates et lard

Pour **4 personnes**
Prêt en **10 minutes**

3 c. à s. d'**huile d'olive**
6 tranches fines de **lard** coupées en dés
2 **gousses d'ail** hachées
1 c. à c. de **paprika**
3 **tomates** épépinées et coupées en dés
2 × 400 g de **haricots blancs** en conserve, rincés et égouttés
2 c. à s. de **persil** haché
2 c. à s. de **jus de citron**

Faites chauffer l'huile dans une grande poêle et faites cuire le lard 6 à 7 minutes à feu moyen, en remuant de temps en temps, jusqu'à ce qu'il soit croustillant et doré. Incorporez l'ail et le paprika à la dernière minute de cuisson, puis ajoutez les tomates, les haricots blancs, le persil et le jus de citron. Remuez pour réchauffer.

Répartissez dans 4 assiettes et servez aussitôt.

soupe de haricots blancs, tomates et lard

Prêt en **20 minutes**

Faites chauffer l'huile dans une grande casserole et faites cuire le lard et 1 oignon haché 7 à 8 minutes jusqu'à ce qu'ils soient légèrement dorés. Ajoutez 2 gousses d'ail hachées et 1 c. à c. de paprika à la dernière minute de cuisson. Ajoutez 400 g de haricots blancs rincés et égouttés, puis 8 tomates séchées hachées, 500 g de coulis de tomate et 500 ml de bouillon de viande ou de légumes chaud. Poivrez généreusement, puis faites mijoter 10 minutes environ. Mixez avec un mixeur plongeant (ou gardez la soupe avec des morceaux), puis servez dans des bols chauds avec 1 pincée de persil haché, si vous le souhaitez.

riz au poulet, au citron vert et au gingembre

Pour **2 personnes**
Prêt en **30 minutes**

200 g de **blanc de poulet** émincé
175 g de **riz long**
125 g de **pois gourmands**
quartiers de **citron vert** pour servir

Pour la marinade
1 c. à s. d'**huile végétale**
2 c. à s. de **sauce soja claire**
2,5 cm de **gingembre frais**, râpé
1 **gousse d'ail** pelée et râpée

Pour la vinaigrette
2,5 cm de **gingembre frais**, râpé
le **zeste** et le **jus** de 2 **citrons verts**
2 c. à s. de **sauce soja claire**
2 c. à s. d'**huile végétale**
un peu de **coriandre** hachée

Mélangez le poulet avec les ingrédients de la marinade et laissez mariner 15 minutes au réfrigérateur.

Faites cuire le riz dans une grande quantité d'eau bouillante légèrement salée 15 minutes environ ou selon les instructions de l'emballage. Égouttez et laissez refroidir légèrement.

Mélangez les ingrédients de la vinaigrette ; réservez. Placez les pois gourmands dans un saladier et couvrez-les d'eau bouillante. Laissez 2 à 3 minutes : ils doivent être tendres mais encore légèrement croquants, puis égouttez et réservez.

Faites chauffer une poêle à sec et faites cuire le poulet mariné 10 à 12 minutes à feu doux, en remuant de temps en temps, jusqu'à ce qu'il soit cuit mais pas doré.

Versez la vinaigrette sur le riz. Avant de servir, incorporez le poulet cuit et les pois gourmands au riz.

wrap au poulet, au citron vert et au gingembre

Prêt en **20 minutes**

Mélangez 200 g de blanc de poulet coupé en tranches avec les ingrédients de la marinade ci-dessus. Faites chauffer une poêle à sec et faites cuire le poulet 8 à 10 minutes à feu moyen-vif. Retirez du feu et laissez refroidir légèrement. Mélangez 2 c. à s. de coriandre hachée avec 3 c. à s. de mayonnaise et 1 pincée de poivre noir. Étalez la mayonnaise sur 2 grandes ou 4 petites tortillas de blé et parsemez 1 petite poignée de roquette, de pousses d'épinard ou d'autres feuilles de salade. Ajoutez le poulet, roulez puis servez.

lentilles à la betterave, maquereau et chèvre

Pour **4 personnes**
Prêt en **30 minutes**

200 g de **lentilles vertes**, séchées
3 c. à s. d'**huile d'olive**
2 **oignons rouges**, émincés
125 ml de **vinaigre balsamique**
300 g de **betterave** cuite, rincée et coupée en dés
2 × 125 g de **maquereaux en conserve à l'huile** ou **au naturel**, égouttés et émiettés
200 g de **fromage de chèvre fermier** émietté ou coupé en dés
ciboulette hachée pour décorer (facultatif)

Faites cuire les lentilles selon les indications de l'emballage. Égouttez et réservez.

Faites chauffer l'huile dans une grande poêle et faites fondre les oignons à feu très doux 12 à 15 minutes. Versez le vinaigre balsamique sur les oignons et faites mijoter 2 à 3 minutes à feu doux jusqu'à ce que le vinaigre commence à être légèrement sirupeux.

Retirez du feu et ajoutez délicatement les lentilles et la betterave. Laissez refroidir légèrement 4 à 5 minutes, puis disposez dans des assiettes et répartissez le maquereau et le fromage de chèvre. Décorez de ciboulette hachée, si vous le souhaitez.

salade de betterave et maquereau grillé

Prêt en **20 minutes**

Faites cuire 150 g de lentilles vertes du Puy séchées dans une grande quantité d'eau légèrement salée 15 à 18 minutes. Égouttez et faites refroidir sous l'eau froide. (Sinon, rincez et égouttez 400 g de lentilles vertes en conserve.) Disposez 4 filets de maquereau frais sur la grille de la lèchefrite garnie de papier d'aluminium, côté peau vers le haut, et arrosez de 2 c. à c. d'huile. Faites cuire 4 à 5 minutes sous le gril du four de chaque côté. Mettez 250 g de betterave cuite dans un saladier avec ½ oignon rouge finement haché (facultatif) et 1 c. à s. de ciboulette finement hachée. Ajoutez 2 c. à s. d'huile et 1 c. à s. de vinaigre de vin, puis mélangez avec les lentilles et disposez dans 4 assiettes. Avant de servir, ajoutez les filets de maquereau effilés sur le dessus.

salade sardines, haricots et pommes de terre

Pour **4 personnes**
Prêt en **20 minutes**

500 g de **pommes de terre nouvelles**, coupées en deux ou en morceaux
200 g de **haricots verts** frais ou surgelés
4 c. à s. d'**huile d'olive**
1 **oignon rouge** émincé
400 g de **haricots blancs** en conserve
2 × 120 g de **sardines en conserve à l'huile** ou **au naturel**, émiettées
1 à 2 c. à s. de **vinaigre de vin rouge** ou **blanc** ou de **vinaigre de cidre**
roquette pour servir (facultatif)

Faites cuire les pommes de terre dans de l'eau bouillante légèrement salée 15 minutes environ jusqu'à ce qu'elles soient juste tendres. Ajoutez les haricots verts 3 à 5 minutes avant la fin de la cuisson. Égouttez et réservez.

Faites chauffer l'huile dans une poêle et faites cuire l'oignon rouge 8 à 10 minutes à feu doux jusqu'à ce qu'il soit très tendre et légèrement doré. Incorporez les haricots et faites chauffer 2 minutes à feu doux. Retirez du feu et mélangez avec les pommes de terre et les sardines. Assaisonnez de vinaigre. Répartissez dans 4 assiettes et servez avec de la roquette, si vous le souhaitez.

couscous aux sardines et aux haricots

Prêt en **10 minutes**

Mettez 250 g de couscous et 25 g de beurre dans un saladier, versez 350 ml de bouillon de légumes chaud ou d'eau chaude, couvrez et laissez reposer 5 à 8 minutes. Versez 400 g de haricots blancs en conserve (non égouttés) dans une casserole et réchauffez à feu moyen 2 à 3 minutes. Retirez du feu et incorporez 2 × 120 g de sardines en conserve, égouttées et émiettées, 4 c. à s. d'huile et 1 à 2 c. à s de vinaigre de vin. Égrainez le couscous, puis ajoutez les haricots et les sardines avec 1 c. à s. de harissa.

wraps épicés au bœuf et aux cacahuètes

Pour **2 personnes**
Prêt en **10 minutes**

200 g de **steak de bœuf** coupé en lanières
2 c. à c. de **pâte de curry rouge thaïe**
2 c. à s. d'**huile végétale**
2 **grandes tortillas souples**
75 g de **germes de soja**
2 petites poignées de **laitue iceberg** coupée en lanières
1 ½ c. à s. de **cacahuètes grillées**, hachées grossièrement
2 quartiers de **citron vert**

Mettez le bœuf dans un bol et enrobez-le de pâte de curry.

Faites chauffer l'huile dans une poêle et faites cuire le bœuf 2 à 3 minutes à feu moyen jusqu'à ce qu'il soit doré, mais encore légèrement rose.

Garnissez les tortillas de germes de soja et de laitue iceberg. Ajoutez le bœuf cuit, répartissez les cacahuètes hachées et pressez un peu de jus de citron vert, si vous le souhaitez. Formez un rouleau puis servez.

nouilles au bœuf, au soja et aux cacahuètes

Prêt en **30 minutes**

Mettez une poêle sur feu doux et faites griller 1 petite poignée de cacahuètes mondées 3 à 4 minutes à feu doux. Versez dans une assiette et remettez la poêle sur le feu. Ajoutez 2 c. à s. d'huile végétale et faites cuire 200 g de steak de bœuf coupé en lanières à feu moyen-vif 1 à 2 minutes, puis ajoutez 75 g de germes de soja et faites cuire 1 minute. Incorporez 2 c. à c. de pâte de curry rouge thaïe, 200 ml de lait de coco et 200 ml de bouillon de légumes ou de poulet chaud. Portez à ébullition, puis faites mijoter 5 minutes à feu doux. Retirez du feu et incorporez 2 c. à s. de jus de citron vert. Faites cuire 125 g de nouilles de riz plates dans de l'eau bouillante environ 3 minutes. Mettez les nouilles dans 2 assiettes creuses et ajoutez le bœuf sur le dessus. Parsemez de cacahuètes grillées et de coriandre hachée.

spaghettis aux boulettes, sauce piquante

Pour **4 personnes**
Prêt en **30 minutes**

8 **saucisses aux herbes** d'environ 625 g ou 20 à 24 **boulettes de viande** prêtes à l'emploi
2 c. à s. d'**huile d'olive** ou autre **huile végétale**
1 **oignon** haché ou émincé
1 **branche de céleri**
2 **gousses d'ail** écrasées
½ à 1 c. à c. de **piment séché**, émietté
500 g de **coulis de tomate**
1 c. à s. de **ketchup**
400 g de **spaghettis complets**
sel et **poivre**

Si vous utilisez des saucisses, retirez la chair de leur enveloppe et formez environ 20 boulettes. Faites chauffer l'huile dans une casserole et faites cuire les boulettes 6 à 7 minutes à feu moyen, en les retournant de temps en temps. Retirez-les avec une écumoire et remettez la casserole sur le feu.

Ajoutez l'oignon, le céleri et l'ail dans la casserole, et faites cuire 6 à 7 minutes jusqu'à ce qu'ils ramollissent, puis ajoutez le piment, le coulis de tomate et le ketchup. Assaisonnez, couvrez et faites mijoter 12 à 15 minutes jusqu'à léger épaississement. Remettez les boulettes dans la casserole 7 à 8 minutes avant la fin de la cuisson, puis retirez la casserole du feu.

Faites cuire les spaghettis 10 à 12 minutes. Égouttez-les et mettez-les dans 4 assiettes creuses chaudes, puis ajoutez les boulettes de viande et la sauce.

boulettes mijotées à la sauce tomate piquante

Prêt en **10 minutes**

Faites chauffer 2 c. à s. d'huile d'olive dans une poêle et faites cuire 1 oignon rouge finement haché 6 à 7 minutes jusqu'à ce qu'il ramollisse. Ajoutez 500 g de boulettes de viande cuites, 500 g de sauce tomate pour pâtes, 1 c. à s. de harissa ou de Tabasco® et 400 g de pois chiches en conserve, rincés et égouttés. Portez à ébullition, puis laissez réchauffer 1 à 2 minutes. Servez les boulettes avec du couscous.

saumon pané au citron

Pour **2 personnes**
Prêt en **30 minutes**

1 grosse **patate douce** coupée en quartiers
5 c. à s. d'**huile d'olive** ou autre **huile végétale** + un peu pour la friture
2 c. à s. de **farine**
1 **œuf** battu
50 g de **chapelure**
2 c. à c. de **zeste de citron** finement râpé
250 g de **filet de saumon** (ou autre poisson sans arête) coupé en tranches épaisses
sel et **poivre**

Pour servir (facultatif)
salade verte ou **légumes**
quartiers de **citron**

Dans un saladier, mélangez la patate douce avec 2 cuillerées à soupe d'huile et 1 pincée de sel et de poivre. Étalez sur une plaque à pâtisserie et enfournez 25 minutes environ à 200 °C, en la retournant de temps en temps.

Mettez la farine, l'œuf et la chapelure dans 3 plats différents. Incorporez le zeste de citron à la chapelure. Assaisonnez la farine avec 1 pincée de sel et de poivre. Trempez les tranches de poisson, une par une, dans la farine, puis dans l'œuf battu et ensuite dans la chapelure, en les tournant pour les enrober complètement.

Faites chauffer de l'huile dans une grande poêle antiadhésive et faites cuire les tranches de saumon 3 minutes de chaque côté jusqu'à ce qu'elles soient dorées et croustillantes. Retirez, égouttez sur du papier absorbant et réservez au chaud.

Servez les tranches de saumon avec la patate douce et de la salade verte ou des légumes et des quartiers de citron, si vous le souhaitez.

saumon fumé et mayonnaise au citron

Prêt en **10 minutes**

Mélangez 2 c. à s. de mayonnaise avec 1 c. à c. de jus de citron. Étalez sur 4 tranches de pain complet ou de seigle. Ajoutez 1 petite poignée de pousses d'épinard, puis répartissez 120 g de chutes de saumon fumé ou 4 grandes tranches de saumon fumé sur le dessus. Poivrez généreusement et servez avec 1 filet de jus de citron.

plateaux télé

hot-dog au pili-pili

Pour **4 personnes**
Prêt en **10 minutes**

2 c. à s. d'**huile végétale**
1 **oignon rouge** émincé
1 **poivron rouge** émincé
4 c. à c. de **sauce pili-pili** ou de **piment en poudre**
1 c. à s. de **jus de citron** ou **d'eau**
8 **saucisses** cuites ou 8 **saucisses de Francfort**
4 à 8 **pains à hot-dog**
coleslaw pour servir (facultatif)

Faites chauffer l'huile dans une grande poêle et faites cuire l'oignon et le poivron à feu vif 5 à 6 minutes jusqu'à ce qu'ils soient dorés.

Baissez le feu et ajoutez la sauce pili-pili, le jus de citron ou l'eau et les saucisses. Faites cuire 2 à 3 minutes, en remuant la poêle souvent pour une cuisson uniforme.

Mettez les saucisses dans les pains à hot-dog et servez aussitôt avec du coleslaw.

saucisses et haricots à la sauce pili-pili

Prêt en **20 minutes**

Coupez 6 saucisses de porc en morceaux de 2,5 cm. Faites chauffer 2 c. à s. d'huile d'olive dans une grande poêle et faites cuire les morceaux de saucisse 8 minutes à feu moyen avec 1 oignon finement haché et 1 poivron rouge finement haché jusqu'à ce que les légumes soient tendres. Ajoutez 3 c. à c. de sauce pili-pili et faites cuire 2 minutes en remuant souvent. Versez 500 g de coulis de tomate dans la poêle avec 2 × 400 g de haricots blancs en conserve et faites mijoter à feu doux 7 à 8 minutes jusqu'à ce que la sauce épaississe. Servez avec du pain grillé ou des pommes de terre cuites pour un repas plus copieux.

pâtes au thon et aux olives

Pour **4 personnes**
Prêt en **20 minutes**

3 c. à s. d'**huile d'olive** ou autre **huile végétale**
1 **oignon rouge** coupé en tranches
2 **gousses d'ail** hachées
2 × 400 g de **tomates concassées** en conserve
½ c. à c. de **piment séché**, émietté (facultatif)
400 g de **penne**
185 g de **thon au naturel** ou à **l'huile** en conserve, égoutté et émietté
75 g d'**olives noires** ou **vertes dénoyautées**, égouttées et grossièrement hachées

Faites chauffer l'huile dans une casserole et faites cuire l'oignon à feu moyen 6 à 7 minutes jusqu'à ce qu'il commence à ramollir. Ajoutez l'ail et faites cuire 1 minute de plus. Ajoutez les tomates et le piment (facultatif). Faites mijoter 8 à 10 minutes à feu doux jusqu'à ce que la sauce ait légèrement épaissi.

Portez de l'eau légèrement salée à ébullition dans une grande casserole et faites cuire les pâtes 10 à 12 minutes ou selon les instructions de l'emballage. Égouttez-les et remettez-les dans la casserole. Incorporez la sauce dans les pâtes avec le thon et les olives, puis servez dans 4 assiettes chaudes.

burgers aux haricots, au thon et aux olives

Prêt en **30 minutes**

Égouttez 400 g de haricots blancs en conserve et mettez-les dans un saladier. Écrasez-les avec le dos d'une fourchette, puis ajoutez 185 g de thon en conserve égoutté, 50 g d'olives vertes dénoyautées finement hachées, 100 g de maïs doux en conserve égoutté, 2 oignons finement hachés, 1 petit œuf battu et 1 c. à s. de ciboulette hachée (facultatif). Écrasez bien le tout, puis assaisonnez avec un peu de sel et de poivre et formez 4 grandes croquettes. Saupoudrez de farine ou de chapelure et placez 15 minutes au réfrigérateur pour faire raffermir légèrement. Faites cuire les burgers dans une grande poêle sur feu moyen 2 à 3 minutes de chaque côté. Disposez-les sur 4 pains à burger avec vos garnitures préférées (tranche de fromage, rondelles de tomate, feuilles de laitue). Ajoutez du ketchup, de la mayonnaise ou de la sauce tartare sur le dessus et servez aussitôt.

sandwichs au lard et aux œufs

Pour **2 personnes**
Prêt en **10 minutes**

25 g de **beurre** ou de **margarine**
3 **œufs**
1 c. à s. de **ciboulette** hachée
6 tranches de **lard** découenné
2 **baguettes individuelles pour sandwich**
votre sauce préférée (**ketchup**, **sauce brune**, **sauce barbecue** ou **mayonnaise**)
2 petites poignées de **roquette** ou de **pousses d'épinard** (facultatif)
sel et **poivre**

Faites fondre doucement le beurre dans une grande poêle. Battez les œufs avec la ciboulette, du sel et du poivre. Versez les œufs dans la poêle en couche uniforme. Faites cuire à feu moyen 2 à 3 minutes. Retournez et faites cuire 2 minutes de plus jusqu'à ce que l'omelette soit cuite. Retirez de la poêle, laissez refroidir légèrement, puis coupez des parts.

Pendant la cuisson des œufs, mettez le lard sur la grille de la lèchefrite garnie de papier d'aluminium et faites cuire 4 à 5 minutes sous le gril du four préchauffé à température moyenne jusqu'à ce qu'il soit croustillant et doré.

Fendez les baguettes en deux et étalez votre sauce préférée avant d'ajouter l'omelette, le lard et la roquette ou les pousses d'épinard. Servez aussitôt.

omelette au lard et au fromage

Prêt en **30 minutes**

Faites chauffer 1 c. à s. d'huile et 1 noix de beurre dans une poêle et faites cuire 4 tranches de lard hachées sur feu moyen 5 à 6 minutes. Ajoutez 1 oignon émincé et faites fondre 7 à 8 minutes. Battez 3 œufs avec 1 c. à s. de ciboulette hachée et 1 pincée de sel et de poivre. Baissez le feu, versez les œufs dans la poêle et faites cuire sur feu doux 4 à 5 minutes jusqu'à ce que l'omelette soit presque cuite. Parsemez 100 g de gruyère ou d'emmental râpé et faites dorer sous le gril du four moyen 4 à 5 minutes.

tartinade de haricots blancs au persil

Pour **4 personnes**
Prêt en **10 minutes**

2 × 400 g de **haricots blancs** en conserve, rincés et égouttés
3 c. à s. de **pâte de tomates séchées**
2 c. à c. de **jus de citron**
½ c. à c. de **cumin moulu** (facultatif)
4 c. à s. de **yaourt nature** ou **à la grecque**
2 c. à s. de **persil haché** + un peu pour servir
sel et **poivre**
pain grillé pour servir

Mettez les haricots dans le bol d'un robot avec la pâte de tomates séchées, le jus de citron et le cumin moulu (facultatif). Mixez en pâte épaisse, puis ajoutez suffisamment de yaourt pour pouvoir tartiner le mélange. (Sinon, réduisez les ingrédients en purée avec le dos d'une fourchette.)

Mettez le mélange dans un bol, incorporez le persil, puis assaisonnez. Parsemez un peu de persil sur le dessus et servez avec du pain grillé chaud.

mijoté de haricots au persil

Prêt en **30 minutes**

Faites chauffer 2 c. à s. d'huile dans une grande casserole et faites cuire 1 oignon rouge émincé et 1 poivron vert haché à feu moyen 7 à 8 minutes. Ajoutez 2 gousses d'ail émincées et faites cuire 1 à 2 minutes. Incorporez 1 c. à c. de coriandre moulue et 1 c. à c. de cumin moulu dans la poêle ; faites cuire 1 minute, puis ajoutez 400 g de tomates pelées en conserve, 400 g de haricots blancs, cannellini ou borlotti, 2 c. à s. de pâte de tomates séchées et 300 ml de bouillon de légumes chaud. Portez à ébullition, puis laissez mijoter doucement 10 à 12 minutes. Ajoutez 200 g de fèves fraîches ou surgelées et 4 c. à s. de persil grossièrement haché. Assaisonnez et laissez mijoter 4 à 5 minutes. Répartissez dans 4 assiettes chaudes, parsemez de persil et servez avec du pain de campagne.

lentilles à la tomate et à l'ail

Pour **4 personnes**
Prêt en **10 minutes**

2 c. à s. d'**huile d'olive**
1 gros **oignon** haché
2 **gousses d'ail** hachées
440 g de **sauce tomate pour pâtes** prête à l'emploi
1 c. à c. d'**origan séché** ou d'**herbes de Provence** (facultatif)
2 × 400 g de **lentilles vertes** en conserve, égouttées
100 g de **gruyère** ou de **parmesan râpé** (facultatif)
baguette ou **pain de mie grillé** pour servir (facultatif)

Faites chauffer l'huile dans une grande poêle et faites cuire l'oignon et l'ail à feu moyen 6 à 7 minutes, en remuant souvent, jusqu'à ce qu'ils ramollissent. Ajoutez la sauce pour pâtes, l'origan séché (facultatif) et les lentilles. Faites chauffer à frémissement.

Versez dans des assiettes creuses. Parsemez de fromage (facultatif) et servez aussitôt avec de la baguette ou du pain de mie grillé, si vous le souhaitez.

sauce tomate à l'ail pour pâtes

Prêt en **20 minutes**

Faites chauffer l'huile dans une grande poêle ou une casserole et faites cuire l'oignon et l'ail à feu moyen 6 à 7 minutes, comme ci-dessus. Versez 2 × 400 g de tomates concassées ou pelées en conserve dans la poêle avec l'origan séché ou des herbes de Provence, si vous en utilisez. Faites mijoter 10 à 12 minutes à feu doux, en remuant de temps en temps, jusqu'à ce que la sauce épaississe légèrement, puis versez sur des pâtes ou des pommes de terre cuites. Avant de servir, saupoudrez de fromage râpé, si vous le souhaitez.

riz sauté aux champignons et aux œufs

Pour **2 personnes**
Prêt en **10 minutes**

2 c. à s. d'**huile végétale**
200 g de **champignons** hachés
2 **oignons verts**
1 gros **œuf** battu
250 g de **riz cuit**
sauce soja pour servir

Faites chauffer l'huile dans une grande poêle et ajoutez les champignons et les oignons verts. Faites sauter à feu moyen 4 à 5 minutes jusqu'à ce que les champignons soient tendres.

Augmentez le feu et ajoutez l'œuf battu dans la poêle. Faites cuire 2 minutes, en remuant souvent, jusqu'à ce que l'œuf soit cuit. Incorporez le riz et faites-le chauffer, puis retirez du feu et versez le mélange dans des assiettes creuses.

Servez aussitôt avec la sauce soja.

champignons hoisin au four et riz

Prêt en **30 minutes**

Disposez 8 à 10 gros champignons de Paris dans un grand plat à four, pied vers le haut. Dans un petit plat, mélangez 2 c. à c. de gingembre frais râpé (facultatif) avec 1 gousse d'ail écrasée, 2 c. à s. d'huile végétale et 3 c. à s. de sauce hoisin ou de sauce aux haricots noirs. Versez ce mélange sur les champignons, couvrez avec du papier sulfurisé et enfournez 15 à 20 minutes à 180 °C. Rincez 150 g de riz blanc long sous l'eau courante et faites-le cuire dans de l'eau bouillante légèrement salée 12 à 15 minutes ou selon les instructions de l'emballage. Égouttez-le et mettez-le dans des assiettes. Ajoutez 4 ou 5 champignons par personne et arrosez de jus de cuisson.

gratin de chou-fleur

Pour **4 personnes**
Prêt en **20 minutes**

1 **chou-fleur** coupé en grosses fleurettes
50 g de **farine**
25 g de **beurre** + un peu pour le plat
1 c. à c. de **moutarde en poudre** (facultatif)
450 ml de **lait**
200 g de **gruyère** grossièrement râpé
sel et **poivre**
lard grillé, **saucisses** ou **salade verte** pour servir (facultatif)

Portez de l'eau légèrement salée à ébullition dans une grande casserole et faites cuire le chou-fleur 7 à 8 minutes jusqu'à ce qu'il soit tendre. Égouttez-le bien.

Mettez la farine, le beurre et la moutarde en poudre (facultatif) dans une casserole moyenne avec le lait. Portez lentement à ébullition, en remuant constamment, jusqu'à ce que la sauce soit lisse et onctueuse. Incorporez 100 g de fromage et lorsqu'il a fondu, salez et poivrez.

Mettez le chou-fleur dans un plat à four beurré, versez la sauce au fromage et saupoudrez le reste du fromage sur le dessus.

Faites cuire 3 à 4 minutes sous le gril du four préchauffé à température moyenne-forte jusqu'à ce que le dessus soit doré. (Sinon, enfournez 10 à 12 minutes à 200 °C jusqu'à ce que la sauce forme des bulles et que le dessus soit doré.)

Servez avec du lard grillé, des saucisses ou de la salade verte, si vous le souhaitez.

coleslaw de chou-fleur

Prêt en **10 minutes**

Dans un saladier, mélangez 150 g de yaourt nature, 1 c. à c. de moutarde douce, 3 c. à s. de mayonnaise et 2 c. à c. de vinaigre, puis assaisonnez avec 1 pincée de sel et de poivre. Coupez 1 petit chou-fleur en fines tranches et émiettez-le dans le saladier avec 2 carottes pelées et grossièrement râpées. Mélangez et servez avec du pain pita grillé.

brochettes de légumes et boulgour

Pour **4 personnes**
Prêt en **20 minutes**

250 g de **boulgour**
600 ml de **bouillon de légumes** ou d'**eau chaude**
2 **poivrons rouges** ou **verts** coupés en morceaux de la taille d'une bouchée
2 **courgettes** coupées en morceaux de la taille d'une bouchée
1 gros **oignon** coupé en morceaux de la taille d'une bouchée
200 g de **champignons** coupés en deux
huile d'olive, **huile végétale** ou **huile parfumée** (par exemple, au piment) pour arroser
tzatziki ou **yaourt à la menthe** pour servir (facultatif)

Mettez le boulgour dans une grande casserole et versez le bouillon ou l'eau bouillante. Faites chauffer à frémissement puis faites cuire 7 minutes à feu doux, à couvert. Laissez gonfler jusqu'à ce que le liquide soit absorbé.

Enfilez les morceaux de légume sur 4 brochettes longues ou 8 courtes en métal, puis arrosez avec un peu d'huile et disposez sur la grille de la lèchefrite ou sur une plaque à pâtisserie recouverte de papier d'aluminium. Faites cuire sous le gril préchauffé à température moyenne-forte 15 à 18 minutes, en retournant de temps en temps. Répartissez le boulgour sur les assiettes et ajoutez les brochettes de légumes à côté. Servez avec du tzatziki ou du yaourt à la menthe, si vous le souhaitez.

couscous aux légumes

Prêt en **10 minutes**

Mettez 250 g de couscous dans un saladier avec 25 g de beurre et versez 300 ml de bouillon de légumes ou d'eau bouillante. Couvrez et laissez gonfler 5 à 8 minutes jusqu'à ce que le liquide soit absorbé. Hachez finement 1 petit oignon rouge, pelez et râpez grossièrement 2 carottes et coupez 500 g de betterave cuite en dés. Incorporez les légumes dans le couscous avec 2 c. à s. de vinaigrette et servez aussitôt.

soupe épicée aux haricots

Pour **4 personnes**
Prêt en **30 minutes**

2 c. à s. d'**huile d'olive**
1 gros **oignon** haché
1 **poivron rouge** haché
1 **piment rouge** épépiné et haché
2 **gousses d'ail** hachées
400 g de **haricots blancs** en conserve, rincés et égouttés
500 g de **coulis de tomate**
750 ml de **bouillon de légumes** chaud
200 g d'un **mélange de légumes hachés**, surgelés ou cuits
sel et **poivre**
persil grossièrement haché pour servir (facultatif)

Faites chauffer l'huile dans une grande casserole et ajoutez l'oignon, le poivron, le piment et l'ail. Faites cuire à feu moyen 6 à 7 minutes jusqu'à ce qu'ils soient tendres. Incorporez les haricots, le coulis de tomate et le bouillon. Portez à ébullition, baissez légèrement le feu et faites cuire 12 à 15 minutes jusqu'à ce que la soupe épaississe légèrement.

Ajoutez le mélange de légumes et faites cuire 3 à 4 minutes jusqu'à ce qu'ils soient tendres. Salez et poivrez. Versez dans des assiettes creuses et servez chaud avec du persil grossièrement haché, si vous le souhaitez.

quesadilla aux haricots

Prêt en **20 minutes**

Faites chauffer 2 c. à s. d'huile végétale dans une poêle et faites cuire l'oignon, le poivron et le piment comme ci-dessus 6 à 7 minutes. Ajoutez 400 g de haricots blancs ou rouges et 200 ml de bouillon de légumes chaud. Faites cuire 4 à 5 minutes. Écrasez les haricots avec le dos d'une fourchette et étalez sur 4 tortillas de blé. Ajoutez 25 g de fromage râpé (emmental ou cantal) puis recouvrez d'une autre tortilla. Faites griller chaque quesadilla à sec dans une grande poêle 1 minute de chaque côté jusqu'à ce que le fromage soit fondu. Servez avec de la salade verte et de la crème fraîche.

saucisses moutarde-miel, pommes de terre rôties

Pour **4 personnes**
Prêt en **30 minutes**

1 kg de **pommes de terre nouvelles** coupées en quartiers
4 c. à s. d'**huile végétale**
1 c. à c. de **thym séché** (facultatif)
12 **saucisses de porc** fines
2 c. à s. de **miel liquide**
2 c. à s. de **moutarde à l'ancienne**
sel et **poivre**
salade verte et/ou **coleslaw** pour servir (facultatif)

Mélangez les quartiers de pomme de terre avec 2 cuillerées à soupe d'huile, le thym et 1 pincée de sel et de poivre. Étalez sur une grande plaque à pâtisserie et enfournez 25 minutes à 200 °C, en les retournant de temps en temps, jusqu'à ce qu'ils soient tendres et dorés.

Mettez les saucisses sur une petite plaque à pâtisserie ou dans un plat à four. Versez le reste de l'huile sur le dessus et faites cuire au four 20 minutes, en les retournant de temps en temps, jusqu'à ce qu'elles soient cuites et dorées.

Mélangez le miel et la moutarde. Au bout de 20 minutes de cuisson, sortez les saucisses du four et badigeonnez-les de chaque côté du mélange miel-moutarde. Remettez 4 à 5 minutes au four.

Retirez les saucisses du four et laissez refroidir légèrement avant de servir avec les quartiers de pomme de terre et de la salade verte et/ou du coleslaw, si vous le souhaitez.

sandwichs saucisse-moutarde-miel

Prêt en **10 minutes**

Dans un bol, mélangez 1 c. à c. de miel liquide, 2 c. à c. de moutarde à l'ancienne et 6 c. à s. de mayonnaise. Coupez 2 baguettes en deux et étalez le mélange miel-moutarde sur la mie. Ajoutez 8 saucisses de Francfort au porc ou au poulet coupées en tranches et 1 petite poignée de salade verte, si vous le souhaitez. Servez aussitôt.

burgers au lard et frites au fromage

Pour **2 personnes**
Prêt en **20 minutes**

250 g de **frites au four**
2 c. à s. d'**huile végétale**
4 tranches de **lard fumé**
300 g de **bœuf haché**
1 c. à c. d'**origan séché**
½ **oignon rouge** très finement haché (facultatif)
50 g de **fromage bleu** émietté
50 g de **gruyère** ou d'**emmental** très finement râpé
sel et **poivre**

Pour servir
sauce barbecue
pains à burger coupés en deux et grillés

Mettez les frites sur une grande plaque à pâtisserie en une seule couche et enfournez 15 à 18 minutes à 220 °C, ou selon les instructions de l'emballage.

Faites chauffer l'huile végétale dans une poêle moyenne et faites dorer le lard 4 à 5 minutes à feu moyen. Retirez de la poêle et réservez au chaud.

Mélangez le bœuf haché dans un saladier avec l'origan, l'oignon, le fromage bleu et 1 pincée de sel et de poivre. Formez 2 burgers et faites-les cuire dans la poêle à feu moyen 3 à 5 minutes de chaque côté.

Mettez les burgers dans les pains avec le lard et un peu de sauce barbecue ; ajoutez d'autres garnitures de votre choix.

Retirez les frites du four, mettez-les dans des bols et parsemez de fromage râpé. Servez avec les burgers au lard.

bagels au lard

Prêt en **10 minutes**

Mettez 6 tranches de lard épaisses sur la grille de la lèchefrite garnie de papier d'aluminium et badigeonnez-les de 2 c. à s. de sauce barbecue. Faites cuire 5 à 7 minutes sous le gril du four, en retournant une fois. Faites griller 2 bagels nature ou au sésame et disposez-les sur des assiettes. Garnissez chaque moitié inférieure de 2 c. à s. de coleslaw, puis ajoutez les tranches de lard. Terminez avec une feuille de laitue puis refermez les bagels.

nouilles de riz au poulet et au soja

Pour **2 personnes**
Prêt en **10 minutes**

300 g de **nouilles de riz** cuites
2 c. à s. de **sauce soja**
1 c. à s. d'**huile de sésame** ou autre **huile végétale**
½ **piment rouge** épépiné et émincé ou haché (facultatif)
1 c. à c. de **gingembre frais**, râpé
150 g de **blanc de poulet cuit**, coupé en tranches ou effiloché
2 **oignons verts** émincés
1 **poivron rouge** ou 125 g de **pois gourmands** émincés

Mettez les nouilles dans une passoire et versez de l'eau bouillante dessus. Égouttez et faites refroidir sous l'eau froide. Égouttez et placez dans un saladier.

Mélangez la sauce soja, l'huile, le piment et le gingembre. Versez sur les nouilles. Mélangez bien, puis ajoutez le reste des ingrédients et remuez délicatement. Servez dans des assiettes creuses.

poulet au soja et riz

Prêt en **30 minutes**

Chauffer 2 c. à s. d'huile végétale dans une poêle et faites cuire 4 cuisses de poulet désossées, côté peau, à feu moyen-vif 6 à 8 minutes jusqu'à ce qu'elles soient dorées et croustillantes. Retournez-les et faites cuire 4 à 6 minutes jusqu'à ce que le poulet soit bien cuit. Retirez de la poêle et réservez. Faites cuire 200 g de nouilles aux œufs dans de l'eau bouillante 4 minutes environ ou selon les instructions de l'emballage. Remettez la poêle sur feu doux, ajoutez un peu d'huile, si nécessaire, puis 2 oignons verts émincés, 1,5 cm de gingembre frais, pelé et haché, 2 gousses d'ail émincées et ½ piment rouge haché (facultatif). Faites sauter à feu doux 2 à 3 minutes jusqu'à ce qu'ils ramollissent, puis ajoutez 1 grosse poignée de germes de soja et faites cuire 2 minutes. Versez 3 c. à s. de sauce soja claire, 1 c. à s. de miel liquide et 2 c. à s. d'eau. Remettez le poulet dans la poêle et faites chauffer 3 à 4 minutes. Servez avec du riz blanc.

risotto aux lardons, petits pois et courgettes

Pour **4 personnes**
Prêt en **30 minutes**

50 g de **beurre**
150 g de **lardons**
300 g de **riz pour risotto**
100 ml de **vin blanc sec** (facultatif)
900 ml de **bouillon de poulet** ou **de légumes** chaud (100 ml de plus si vous n'utilisez pas de vin)
325 g de **courgettes** grossièrement râpées
200 g de **petits pois** surgelés, décongelés
1 petit **bouquet de basilic** ciselé (facultatif)
sel et **poivre**
parmesan râpé pour servir (facultatif)

Faites fondre le beurre dans une casserole et faites revenir les lardons 6 à 7 minutes à feu moyen jusqu'à ce qu'ils soient dorés. Retirez la moitié des lardons avec une écumoire ; réservez.

Incorporez le riz et versez le vin blanc et le bouillon chaud. Portez à ébullition, puis laissez cuire 15 à 18 minutes à feu doux, en remuant aussi souvent que possible : le riz doit être tendre et crémeux. Incorporez les courgettes râpées et les petits pois au cours des 2 à 3 dernières minutes de cuisson.

Salez et poivrez, puis versez dans 4 assiettes creuses chaudes. Ajoutez les lardons réservés sur le dessus ainsi que le basilic. Servez avec du parmesan râpé, si vous le souhaitez.

pâtes aux petits pois et aux lardons

Prêt en **20 minutes**

Faites fondre 50 g de beurre dans une casserole et faites dorer 250 g de lardons 7 à 8 minutes. Ajoutez 300 g de pâtes orzo (ou une autre forme de pâtes petites, comme des macaronis), puis 500 ml de bouillon de poulet ou de légumes chaud. Portez à ébullition, baissez le feu et faites cuire 8 à 10 minutes à feu doux, en ajoutant un peu de bouillon ou d'eau chaude, si nécessaire. Incorporez 150 g de petits pois surgelés au cours des 4 à 5 dernières minutes de cuisson. Versez dans 4 assiettes et parsemez de basilic et de parmesan râpé.

pâtes au piment et aux anchois

Pour **2 personnes**
Prêt en **10 minutes**

200 g de **pâtes à cuisson rapide** (**spaghettis** ou **penne**)
2 c. à s. d'**huile d'olive**
½ à 1 **piment rouge** épépiné et haché
6 **anchois** égouttés et coupés en dés
1 c. à s. de **jus de citron**
poivre

Faites cuire les pâtes dans une grande quantité d'eau bouillante légèrement salée 3 à 5 minutes ou selon les instructions de l'emballage. Égouttez les pâtes, en réservant 1 cuillerée à soupe d'eau de cuisson.

Mélangez avec le reste des ingrédients et l'eau de cuisson réservée. Servez dans des assiettes chaudes.

spaghettis complets tomates et anchois

Prêt en **20 minutes**

Faites cuire 200 g de spaghettis complets 11 minutes ou selon les instructions de l'emballage. Faites chauffer 3 c. à s. d'huile d'olive dans une petite casserole et ajoutez 1 gousse d'ail hachée et 1 piment rouge, épépiné et haché. Faites cuire à feu doux 2 minutes jusqu'à ce qu'ils soient tendres. Retirez du feu et réservez. Égouttez les pâtes et remettez-les dans la casserole avec 2 c. à s. d'eau de cuisson. Mélangez immédiatement avec l'huile parfumée, 1 c. à s. de jus de citron, 6 anchois coupés en dés et 10 tomates cerises coupées en deux. Servez dans des assiettes creuses.

gratin de gnocchis au thon

Pour **4 personnes**
Prêt en **20 minutes**

500 g de **gnocchis de pomme de terre**
2 × 400 g de **ratatouille** en conserve
2 × 185 g de **thon en conserve au naturel** ou **à l'huile**, égoutté
125 g de **fromage râpé** (**emmental**, **cantal** ou **mozzarella**)
pain de campagne pour servir (facultatif)

Portez de l'eau à ébullition dans une grande casserole et faites cuire les gnocchis 2 à 3 minutes, ou selon les instructions de l'emballage, jusqu'à ce qu'ils remontent à la surface. Égouttez-les et remettez-les dans la casserole.

Faites chauffer à feu doux la ratatouille dans une casserole avec le thon, puis versez sur les gnocchis et remuez délicatement. Versez dans un grand plat à four beurré, puis ajoutez le fromage râpé sur le dessus et enfournez 15 minutes à 220 °C jusqu'à ce que le dessus soit doré. Versez dans des assiettes et servez avec du pain croustillant.

feuilletés au thon et au fromage

Prêt en **30 minutes**

Dans un saladier, mélangez 2 × 185 g de thon en conserve égoutté et émietté, 2 oignons verts hachés, 100 g d'emmental grossièrement râpé, 3 c. à s. de mayonnaise, 1 c. à s. de jus de citron et 1 bonne pincée de poivre noir. Déroulez 375 g de pâte feuilletée et découpez 8 rectangles de taille égale. Versez le thon sur une moitié de chaque rectangle, puis badigeonnez la bordure d'un peu d'œuf battu. Repliez l'autre moitié sur la garniture, en appuyant avec les doigts. Avec le dos d'une fourchette, appuyez sur les bords pour sceller la pâte. Mettez les feuilletés sur une grande plaque à pâtisserie et enfournez 15 minutes à 200 °C jusqu'à ce que la pâte soit gonflée et dorée. Retirez du four et servez avec des légumes ou une salade verte.

poisson frit, beurre au citron

Pour **2 personnes**
Prêt en **20 minutes**

75 g de **beurre**
2 **filets épais de poisson blanc** de 175 g chacun
2 c. à s. de **persil** haché ou de **ciboulette** hachée
1 c. à c. de **zeste de citron** finement râpé
1 c. à s. de **jus de citron**
sel et **poivre**

Pour servir
riz cuit ou **purée de pommes de terre**
épinards ou **brocoli vapeur** (facultatif)

Faites fondre 25 g de beurre dans une poêle antiadhésive. Salez et poivrez légèrement le poisson et faites-le cuire à feu doux 4 à 5 minutes de chaque côté jusqu'à ce qu'il soit doré. Retirez le poisson de la poêle et réservez au chaud.

Mettez le reste du beurre dans la poêle et faites-le fondre à feu doux jusqu'à ce qu'il soit mousseux. Ajoutez les herbes, le zeste et le jus de citron, puis retirez la poêle du feu.

Disposez les filets de poisson sur les assiettes avec du riz ou de la purée de pommes de terre et des épinards ou du brocoli, et arrosez de beurre au citron.

rillettes de poisson au citron sur toast

Prêt en **10 minutes**

Égouttez 170 g de hareng en conserve et mettez-le dans un saladier avec 2 c. à s. de fromage frais crémeux, 1 c. à s. de jus de citron, 1 pincée de zeste de citron finement râpé, 1 c. à s. de ciboulette et 1 pincée généreuse de poivre noir moulu. Écrasez grossièrement avec une fourchette. Servez sur du pain aux graines avec du cresson ou des pousses d'épinard et des quartiers de citron.

salade pommes de terre, oignon et feta

Pour **2 personnes**
Prêt en **10 minutes**

550 g de **pommes de terre nouvelles** cuites
1 petit bouquet de **menthe** hachée
½ petit **oignon rouge** émincé
1 c. à s. de **jus de citron**
100 g de **feta** coupée en dés ou émiettée

Mettez les pommes de terre dans un saladier avec la menthe, l'oignon rouge et le jus de citron. Mélangez délicatement.

Répartissez la salade dans 2 assiettes et parsemez de feta.

frittata de pommes de terre aux petits pois

Prêt en **20 minutes**

Faites chauffer 1 c. à s. d'huile d'olive dans une poêle et faites suer 1 petit oignon rouge émincé à feu moyen 6 à 7 minutes. Faites cuire 150 g de petits pois surgelés dans de l'eau bouillante 3 à 4 minutes ; égouttez-les. Mettez-les dans la poêle avec 200 g de pommes de terre nouvelles cuites coupées en rondelles, 4 œufs légèrement battus, 1 c. à s. de menthe hachée et 1 pincée de sel et de poivre. Faites cuire à feu doux, sans remuer, 4 à 5 minutes jusqu'à ce que les œufs soient presque cuits, puis ajoutez 100 g de feta émiettée et faites dorer sous le gril préchauffé à température moyenne-forte 3 à 5 minutes. Servez avec de la salade verte.

pizza au chorizo

Pour **2 personnes**
Prêt en **30 minutes**

1 sachet de **préparation pour pâte à pizza**
100 ml d'**eau tiède**
1 ½ c. à s. de **coulis de tomate**
2 c. à c. de **ketchup**
2 c. à c. d'**huile d'olive** ou d'**huile végétale**
1 pincée d'**origan** séché
50 g de **chorizo** coupé en fines tranches
125 g de **mozzarella** coupée en tranches
sel et **poivre**
2 petites poignées de **roquette** pour servir

Préparez la pâte en suivant les instructions de l'emballage. Étalez la pâte en disque de 30 cm de diamètre et laissez reposer 8 minutes.

Faites chauffer une grande poêle à sec et glissez délicatement la pâte à pizza à l'intérieur. Faites cuire à feu moyen 10 minutes, en la retournant une fois, jusqu'à ce qu'elle soit légèrement dorée.

Préparez la sauce à pizza : mélangez le coulis de tomate, le ketchup, l'huile, l'origan et 1 pincée de sel et de poivre. Étalez en fine couche sur la pâte à pizza dans la poêle puis répartissez le chorizo et la mozzarella. Poursuivez la cuisson 2 à 3 minutes encore, puis placez sous le gril préchauffé à température moyenne-forte 1 à 2 minutes jusqu'à ce que la garniture soit chaude et le fromage fondu.
Si vous n'avez pas de gril, faites cuire la pâte à pizza 4 à 5 minutes sur la poêle jusqu'à ce que le fond soit doré. Retournez, nappez de sauce et ajoutez les garnitures, puis faites cuire 6 à 7 minutes jusqu'à ce que le fromage soit fondu.

Coupez en parts et servez avec de la roquette.

pizza au chorizo sous le gril

Prêt en **10 minutes**

Préparez la sauce à pizza comme ci-dessus et étalez-la en fine couche sur 2 grandes tortillas. Garnissez comme ci-dessus, puis ajoutez 1 c. à c. d'huile d'olive et placez sous un gril préchauffé à température moyenne-forte 4 à 5 minutes jusqu'à ce que la garniture soit croustillante et fondante. Servez avec de la roquette.

burgers de dinde au jalapeño

Pour **4 personnes**
Prêt en **20 minutes**

500 g de **dinde crue**, hachée
1 c. à s. de **piment jalepeño** finement haché
2 c. à s. de **coriandre** finement hachée (facultatif)
3 **oignons verts** finement hachés
1 petit **œuf** légèrement battu
2 c. à s. d'**huile végétale**
sel et **poivre**

Pour servir
pains ciabatta coupés en deux horizontalement
laitue iceberg coupée en lanières (facultatif)
sauce piquante (facultatif)
crème fraîche (facultatif)

Mettez la viande de dinde hachée dans un saladier avec le piment jalepeño, la coriandre (facultatif), les oignons verts et l'œuf, puis assaisonnez avec 1 pincée de sel et de poivre. Mélangez bien puis formez 4 galettes.

Faites chauffer l'huile dans une grande poêle antiadhésive à feu moyen et faites frire les burgers à feu doux 4 à 5 minutes de chaque côté jusqu'à ce qu'ils soient bien cuits et dorés.

Disposez les burgers sur les pains ciabatta avec vos garnitures préférées. Ajoutez l'autre moitié du pain sur le dessus et servez aussitôt.

toasts gratinés à la dinde et au jalapeño

Prêt en **10 minutes**

Coupez 4 pains ciabatta en deux et étalez sur la mie 150 g de salsa épicée (facultatif). Ajoutez 75 g de dinde coupée en tranches très minces sur les moitiés de pain. Sur chaque moitié de pain, déposez 1 c. à c. de piment jalapeño émincé, ½ tomate coupée en rondelles et ½ oignon vert émincé et 2 tranches de fromage. Faites cuire sous le gril chaud 2 à 3 minutes. Servez chaud avec de la laitue iceberg coupée en lanières.

salade de nouilles aux légumes

Pour **2 personnes**
Prêt en **10 minutes**

100 g de **nouilles de riz** ou de **vermicelles de soja**
75 g de **germes de soja**
75 g de **pousses d'épinard** ou de **laitue iceberg** coupée en lanières
1 **carotte** pelée et râpée
½ petit **oignon rouge** émincé ou 2 **oignons verts** émincés
1 c. à s. de **cacahuètes grillées**, écrasées, pour servir (facultatif)

Vinaigrette
1 c. à s. d'**huile végétale**
1 c. à s. de **sauce soja**
2 c. à s. de **jus de citron vert**

Placez les nouilles dans un grand saladier et couvrez-les d'eau bouillante. Laissez tremper 3 à 4 minutes ou selon les indications de l'emballage. Égouttez-les dans une passoire et refroidissez-les sous l'eau froide. Remettez les nouilles rincées et égouttées dans le saladier.

Pendant la cuisson des nouilles, mélangez les ingrédients de la vinaigrette.

Versez la vinaigrette sur les nouilles. Ajoutez les légumes et mélangez délicatement. Répartissez dans des bols et servez immédiatement, parsemé de cacahuètes écrasées, si vous le souhaitez.

nouilles sautées aux légumes

Prêt en **20 minutes**

Faites chauffer 2 c. à s. d'huile dans un wok et faites sauter 1 oignon et 1 poivron rouge émincés 2 à 3 minutes. Ajoutez 1 petite carotte pelée et coupée en fins bâtonnets, puis faites sauter 2 à 3 minutes. Incorporez 100 g de germes de soja et faites cuire 1 minute de plus, puis ajoutez 300 g de nouilles aux œufs cuites et mélangez 1 à 2 minutes. Incorporez 200 g de sauce pour wok. Versez dans 2 assiettes creuses chaudes et servez, parsemé de 1 c. à s. de noix de cajou écrasées.

pâtes aux petits pois et au piment

Pour **2 personnes**
Prêt en **10 minutes**

3 c. à s. d'**huile d'olive**
½ à 1 **piment rouge** épépiné et émincé
2 **gousses d'ail** hachées
200 g de **petits pois** surgelés
400 g de **pâtes à cuisson rapide** (**fusillis** ou **penne**)
parmesan râpé pour servir (facultatif)

Faites chauffer l'huile d'olive dans une petite casserole et faites revenir le piment et l'ail 2 minutes à feu doux jusqu'à ce qu'ils ramollissent mais sans les faire dorer. Réservez pour laisser les saveurs se développer.

Portez de l'eau légèrement salée à ébullition dans une grande casserole et faites cuire les pâtes et les petits pois 3 à 5 minutes ou selon les indications de l'emballage. Égouttez et remettez dans la casserole, en réservant 2 cuillerées à soupe d'eau de cuisson.

Ajoutez l'huile parfumée et l'eau de cuisson réservée. Mélangez et versez dans 2 assiettes creuses chaudes avec du parmesan râpé, si vous le souhaitez.

soupe aux petits pois et au piment

Prêt en **20 minutes**

Faites chauffer 2 c. à s. d'huile dans une poêle et faites cuire 1 gros oignon haché à feu moyen 6 à 7 minutes. Ajoutez ½ à 1 piment rouge haché, 1 c. à s. de pâte korma et 1 gousse d'ail hachée, et faites cuire 2 à 3 minutes. Versez 600 ml de bouillon de légumes chaud et faites bouillir. Ajoutez 400 g de petits pois surgelés, puis faites cuire à feu doux 3 à 4 minutes. Retirez du feu et mélangez à l'aide d'un mixeur plongeant. Assaisonnez et servez avec de l'huile pimentée.

porc à l'aigre-doux

Pour **4 personnes**
Prêt en **30 minutes**

3 c. à s. d'**huile végétale**
350 g de **porc** coupé en dés
1 gros **oignon** coupé en morceaux de la taille d'une bouchée
1 **poivron rouge** ou **jaune** coupé en morceaux de la taille d'une bouchée
150 g de **ketchup** (8 c. à s.)
3 c. à s. de **sucre roux** ou **muscovado**
225 g d'**ananas en conserve** coupé en morceaux et le jus
3 c. à s. de **vinaigre de vin**
1 c. à s. de **sauce soja claire**
riz cuit pour servir

Faites chauffer l'huile dans une grande poêle et faites revenir le porc à feu moyen-vif 5 à 6 minutes jusqu'à ce que la viande soit dorée de toutes parts. Ajoutez l'oignon et le poivron, et faites cuire 6 à 7 minutes de plus jusqu'à ce que les légumes commencent à ramollir. Ajoutez le ketchup, le sucre, l'ananas et son jus, la sauce soja et le vinaigre, puis portez à ébullition, en remuant souvent.

Baissez le feu et faites mijoter 10 à 12 minutes à feu doux jusqu'à ce que la sauce soit épaisse et que la viande soit bien cuite. Servez avec du riz cuit.

nouilles au porc à l'aigre-doux

Prêt en **10 minutes**

Faites cuire 375 g de nouilles aux œufs dans de l'eau bouillante 4 minutes, puis égouttez-les. Faites chauffer 2 c. à s. d'huile dans un wok et faites cuire 350 g de porc coupé en lanières 2 minutes à feu vif. Ajoutez 4 oignons verts coupés en morceaux de 2,5 cm et 100 g de pois gourmands coupés en lanières ou de mini-épis de maïs émincés. Faites sauter 2 minutes. Ajoutez 440 g de sauce aigre-douce. Faites cuire encore 3 à 4 minutes à feu doux, en remuant, puis mélangez avec les nouilles et servez.

spaghettis à l'ail et au poivre

Pour **2 personnes**
Prêt en **10 minutes**

200 g de **spaghettis à cuisson rapide**
3 c. à s. d'**huile d'olive**
2 **gousses d'ail** hachées
2 c. à s. de **jus de citron**
poivre
parmesan râpé pour servir

Faites cuire les spaghettis dans une grande quantité d'eau légèrement salée 3 à 5 minutes ou selon les instructions de l'emballage. Égouttez-les et remettez-les dans la casserole, en réservant 3 cuillerées à soupe d'eau de cuisson.

Faites chauffer l'huile d'olive dans une poêle et faites cuire l'ail 2 à 3 minutes à feu doux pour le faire ramollir mais sans le faire dorer. Versez sur les spaghettis cuits avec l'eau de cuisson réservée et le jus de citron. Poivrez. Servez dans des assiettes creuses chaudes saupoudré de parmesan râpé.

spaghettis carbonara à l'ail

Prêt en **20 minutes**

Faites cuire 200 g de spaghettis dans de l'eau bouillante 10 à 12 minutes. Faites chauffer 2 c. à s. d'huile dans une poêle et faites cuire 150 g de lardons 4 à 5 minutes à feu moyen. Ajoutez 2 gousses d'ail hachées et faites cuire 1 minute. Réservez. Battez 1 gros œuf et 1 jaune d'œuf avec 4 c. à s. de crème, du poivre noir et 3 c. à s. de parmesan râpé. Égouttez les pâtes et remettez-les dans la poêle avec le lard et la crème. Remuez 1 minute sur feu très doux pour réchauffer et enrobez les spaghettis de sauce. Servez avec du parmesan râpé.

cocotte de haricots au chorizo

Pour **4 personnes**
Prêt en **30 minutes**

2 c. à s. d'**huile d'olive** ou autre **huile végétale**
225 g de **chorizo** coupé en dés
1 **oignon** coupé en grosses tranches
1 **poivron rouge** coupé en grosses tranches
2 **gousses d'ail** hachées ou émincées (facultatif)
2 × 400 g de **tomates concassées** en conserve
1 c. à c. d'**origan séché** ou d'**herbes de Provence** (facultatif)
2 × 400 g de **haricots** en conserve (**blancs** ou **cannellini**), égouttés
2 c. à s. de **persil** haché (facultatif)
sel et **poivre**

Faites chauffer l'huile dans une grande casserole et faites cuire le chorizo, l'oignon, le poivron et l'ail 10 minutes environ jusqu'à ce que les légumes soient tendres.

Ajoutez les tomates, les herbes et les haricots, puis couvrez et faites cuire à feu doux 15 à 18 minutes jusqu'à ce que le mijoté épaississe.

Assaisonnez et servez dans des assiettes creuses avec du persil haché, si vous le souhaitez.

penne aux haricots et au chorizo

Prêt en **20 minutes**

Faites chauffer 2 c. à s. d'huile d'olive et faites cuire 1 oignon rouge finement haché et 200 g de chorizo coupé en dés à feu moyen 7 à 8 minutes jusqu'à ce que l'oignon soit tendre. Ajoutez 2 gousses d'ail hachées au cours des 2 dernières minutes de cuisson. Versez 500 g de coulis de tomate dans la poêle avec 1 c. à c. d'origan séché, 1 pincée de sucre, 1 pincée de sel et de poivre. Couvrez et faites mijoter 10 minutes à feu doux jusqu'à ce que la sauce ait légèrement épaissi. Incorporez 300 g de haricots blancs (ou de fèves) en conserve, rincés et égouttés, 3 à 4 minutes avant la fin de la cuisson. Faites cuire 400 g de penne dans de l'eau bouillante salée 10 à 12 minutes ou selon les instructions de l'emballage. Égouttez et servez dans 4 assiettes creuses chaudes avec la sauce au chorizo.

wraps au bœuf et aux oignons

Pour **4 personnes**
Prêt en **10 minutes**

2 c. à s. d'**huile végétale**
350 g de **steak de bœuf** coupé en lanières
1 **oignon rouge** émincé
1 **poivron rouge** émincé
30 g d'**épices mexicaines** (pour fajitas, par exemple)
4 **tortillas de blé**

Pour la garniture (facultatif)
salsa
emmental râpé
laitue iceberg coupée en lanières

Faites chauffer l'huile dans une grande poêle et faites revenir le bœuf 2 à 3 minutes à feu vif jusqu'à ce qu'il soit doré. Ajoutez l'oignon et le poivron, et faites sauter 2 à 3 minutes jusqu'à ce que les légumes commencent à ramollir et que le bœuf soit cuit mais encore rosé. Ajoutez les épices mexicaines et faites cuire 1 minute.

Répartissez le bœuf dans les tortillas et ajoutez la garniture de votre choix, puis roulez chaque tortilla en rouleau serré et coupez-la en deux avant de servir.

burgers au bœuf et aux oignons

Prêt en **20 minutes**

Faites chauffer 2 c. à s. d'huile dans une poêle et ajoutez 2 oignons émincés. Faites cuire à feu moyen 15 à 18 minutes, en remuant, jusqu'à ce qu'ils soient croustillants. Égouttez-les sur du papier absorbant. Dans un saladier, mélangez 500 g de steak haché, 1 c. à c. d'origan séché, 1 gousse d'ail écrasée, du sel et du poivre. Ajoutez 1 petit œuf battu puis formez 4 burgers avec les mains. Faites chauffer 2 c. à s. d'huile dans une poêle et faites-les cuire 3 à 5 minutes de chaque côté. Servez dans des pains à burger avec les oignons cuits et des garnitures.

dîners entre amis

nouilles au saumon teriyaki

Pour **4 personnes**
Prêt en **10 minutes**

375 g de **nouilles aux œufs**, moyennes
3 c. à s. d'**huile végétale**
3 petits **oignons verts** émincés + un peu pour servir (facultatif)
2,5 cm de **gingembre frais**, pelé et coupé en fins bâtonnets
250 g de **sauce teriyaki**
2 × 180 g de **saumon** sans peau et sans arête en conserve, égoutté et émietté

Faites cuire les nouilles dans de l'eau bouillante 3 à 4 minutes ou selon les instructions de l'emballage. Égouttez et mélangez avec 1 cuillerée à soupe d'huile pour les empêcher de coller.

Faites chauffer le reste de l'huile dans une grande poêle à feu moyen et faites cuire les oignons verts et le gingembre 2 à 3 minutes jusqu'à ce qu'ils ramollissent et soient légèrement dorés. Ajoutez les nouilles et la sauce teriyaki dans la poêle ; mélangez.

Ajoutez le saumon et réchauffer 1 à 2 minutes à feu doux. Servez avec l'oignon vert émincé, si vous le souhaitez.

brochettes de saumon teriyaki

Prêt en **20 minutes**

Mettez 400 g de filet de saumon épais coupé en cubes dans un saladier et ajoutez 4 c. à s. de sauce teriyaki. Mélangez pour bien enrober le poisson, puis faites mariner au réfrigérateur 5 à 10 minutes. Enfilez sur 4 grandes ou 8 petites brochettes en métal. Faites cuire sous le gril préchauffé à température moyenne 8 minutes environ, en retournant de temps en temps, jusqu'à ce que le saumon soit juste cuit. Servez les brochettes avec du riz ou des nouilles et des légumes sautés.

soupe tomate-basilic

Pour **4 personnes**
Prêt en **30 minutes**

2 c. à s. d'**huile d'olive** ou autre **huile végétale**
1 gros **oignon** haché
2 **gousses d'ail** hachées
500 g de **coulis de tomate**
400 g de **pois chiches** en conserve, égouttés et rincés
500 ml de **bouillon de légumes** ou **de poulet** chaud
1 petit **bouquet de basilic** grossièrement haché
sel et **poivre**

Faites chauffer l'huile dans une grande casserole et faites revenir l'oignon 7 à 8 minutes à feu moyen jusqu'à ce qu'il ramollisse. Ajoutez l'ail et faites revenir 2 minutes à feu doux.

Versez le coulis de tomate et les pois chiches dans la casserole avec le bouillon chaud, puis portez à ébullition et faites mijoter 15 minutes à feu doux jusqu'à épaississement.

Ajoutez les feuilles de basilic, en en réservant quelques-unes pour servir. Salez et poivrez. Mixez avec un mixeur plongeant, en ajoutant un peu d'eau supplémentaire si besoin. (Si vous n'avez pas de mixeur, cette soupe peut être servie avec des morceaux.)

Servez dans des mugs chauds avec les feuilles de basilic réservées.

spaghettis tomate-basilic

Prêt en **20 minutes**

Faites chauffer 2 c. à s. d'huile dans une grande casserole et faites cuire 1 oignon finement haché 7 à 8 minutes à feu moyen. Versez 500 g de coulis nature ou au basilic dans la casserole avec 1 pincée de sucre, 1 pincée de sel et de poivre, et portez à ébullition. Baissez le feu et faites mijoter 8 à 10 minutes à feu doux jusqu'à ce que la sauce épaississe. Faites cuire 400 g de spaghettis. Égouttez et mélangez avec la sauce tomate et 1 petit bouquet de basilic grossièrement haché. Servez dans 4 assiettes creuses chaudes avec du fromage râpé.

burgers mexicains au bœuf et au piment

Pour **4 personnes**
Prêt en **30 minutes**

3 c. à s. d'**huile végétale**
1 **oignon** finement haché
1 **poivron rouge** finement haché
40 g d'**épices mexicaines** (pour fajita, par exemple)
1 c. à c. d'**origan séché**
400 g de **bœuf haché**

Pour servir
tortillas souples ou **pains à burger grillés**
emmental râpé (facultatif)
salsa piquante (facultatif)
laitue iceberg (facultatif)

Faites chauffer 2 cuillerées à soupe d'huile dans une poêle et faites cuire l'oignon et le poivron 10 minutes sur feu moyen jusqu'à ce qu'ils soient tendres et dorés. Versez dans un saladier et laissez refroidir 2 à 3 minutes avant d'ajouter le reste des ingrédients. Mélangez bien avec les mains, puis formez 4 burgers.

Remettez la poêle sur le feu avec le reste de l'huile et faites cuire les burgers 4 à 5 minutes à feu moyen de chaque côté jusqu'à ce qu'ils soient cuits mais encore juteux.

Servez les burgers au bœuf dans des tortillas roulées ou dans des pains à burger avec les garnitures de votre choix, comme du fromage râpé, de la salsa et de la laitue iceberg coupée en lanières.

fajitas au bœuf

Prêt en **20 minutes**

Mélangez 40 g d'épices pour fajita avec 350 g de steak de bœuf coupé en lanières ; réservez. Faites chauffer 2 c. à s. d'huile végétale dans une grande poêle et faites cuire 1 oignon émincé et 1 poivron rouge coupé en lanières sur feu vif 3 à 4 minutes, en remuant, jusqu'à ce qu'ils soient légèrement noircis et ramollis. Versez dans un saladier et remettez la poêle sur le feu avec 2 c. à s. d'huile. Ajoutez le bœuf et faites cuire 3 à 4 minutes, en retournant de temps en temps, jusqu'à ce qu'il soit cuit et doré. Remettez l'oignon et le poivron dans la poêle 1 minute pour réchauffer. Servez le bœuf avec des tortillas chaudes et des garnitures (fromage râpé, laitue iceberg coupée en lanières, piment émincé, salsa pimentée et crème fraîche).

brochettes d'agneau aux épices et couscous

Pour **4 personnes**
Prêt en **30 minutes**

300 g de **viande d'agneau** coupée en dés
2 **gousses d'ail** écrasées
1 c. à c. de **cumin moulu**
1 c. à c. de **coriandre moulue**
2 c. à s. de **menthe** finement hachée
2 c. à s. d'**huile d'olive**
1 gros **oignon** coupé en morceaux de la taille d'une bouchée
1 gros **poivron vert** coupé en morceaux de la taille d'une bouchée
2 **tomates** coupées en 6 quartiers

Pour servir
couscous cuit
sauce à l'ail ou **tzatziki**

Mettez l'agneau dans un saladier avec l'ail, les épices, la menthe et 1 cuillerée à soupe d'huile, puis frottez bien pour enrober la viande. Faites mariner au réfrigérateur au moins 15 minutes.

Enfilez les dés d'agneau sur 4 grandes brochettes en métal, en alternant avec l'oignon, le poivron et les quartiers de tomate. Disposez sur la grille d'une lèchefrite recouverte de papier d'aluminium, arrosez avec le reste de l'huile et faites cuire sous le gril chaud 7 à 10 minutes, en retournant de temps en temps, jusqu'à ce que les brochettes soient légèrement noircies et l'agneau cuit à votre goût.

Servez les brochettes avec du couscous et de la sauce à l'ail ou du tzatziki.

burgers d'agneau et couscous

Prêt en **20 minutes**

Dans un saladier, mélangez 400 g d'agneau haché avec 1 c. à c. de cumin moulu et 1 c. à c. de coriandre moulue, ¼ de c. à c. de cannelle moulue, ½ c. à c. de menthe séchée, 1 c. à c. d'oignon semoule et 2 gousses d'ail écrasées. Formez 4 burgers. Faites chauffer 2 c. à s. d'huile dans une poêle et faites cuire les burgers 4 à 5 minutes de chaque côté. Servez avec du couscous et du coleslaw.

chaussons aux poireaux et aux champignons

Pour **4 personnes**
Prêt en **30 minutes**

50 g de **beurre**
2 **poireaux** lavés et coupés en rondelles
500 g de **champignons** coupés en deux (ou en quatre s'ils sont gros)
200 g de **fromage frais** (type St Môret®)
1 c. à c. d'**estragon séché** ou 1 c. à s. d'**estragon frais**, haché
500 g de **pâte feuilletée**
farine pour saupoudrer
1 petit **œuf** légèrement battu
sel et **poivre**

Faites fondre le beurre dans une grande poêle et faites fondre les poireaux 3 minutes à feu moyen, en remuant de temps en temps. Ajoutez les champignons et poursuivez la cuisson 4 à 5 minutes jusqu'à ce qu'ils soient tendres et légèrement dorés, puis ajoutez le fromage et l'estragon.

Étalez la pâte sur le plan de travail légèrement fariné et découpez 4 disques de 20 cm de diamètre. Badigeonnez la bordure d'un peu d'œuf battu sur 1 cm.

Salez et poivrez les poireaux et les champignons, puis répartissez-les sur les disques de pâte. Pliez les disques de pâte en deux pour enfermer la garniture et scellez les bordures en appuyant avec les doigts.

Mettez les chaussons sur une plaque à pâtisserie, badigeonnez le reste d'œuf battu et enfournez 18 minutes à 200 °C. Servez chaud.

toasts aux poireaux et aux champignons

Prêt en **10 minutes**

Faites fondre 75 g de beurre dans une poêle. Faites cuire 2 poireaux et 250 g de champignons émincés, 1 c. à c. d'estragon séché ou 1 c. à s. d'estragon frais (facultatif) sur feu moyen 8 à 10 minutes, en remuant de temps en temps. Salez et poivrez. Faites griller 4 tranches épaisses de pain, étalez 1 c. à s. de fromage frais sur chacune et disposez-les sur des assiettes. Ajoutez les poireaux et les champignons sur le pain.

poivron et champignons Stroganoff

Pour **4 personnes**
Prêt en **30 minutes**

50 g de **beurre**
2 c. à s. d'**huile d'olive**
1 **oignon** coupé en deux puis émincé
1 gros **poivron** vert coupé en lanières
500 g de **champignons de Paris** émincés
2 c. à c. de **paprika**
1 c. à s. de **farine**
300 ml de **bouillon de légumes** chaud
150 ml de **crème fraîche** mélangée avec 2 c. à s. de **jus de citron**
2 c. à s. de **persil** haché
sel et **poivre**
tagliatelles ou **riz** pour servir

Faites fondre le beurre avec l'huile dans une grande poêle et faites cuire l'oignon et le poivron à feu moyen 7 à 8 minutes. Ajoutez les champignons et faites cuire 5 à 6 minutes, en remuant de temps en temps, jusqu'à ce qu'ils soient dorés et tendres, puis ajoutez le paprika et la farine ; remuez 1 minute.

Incorporez le bouillon de légumes dans la poêle et portez à ébullition. Baissez le feu, salez et poivrez ; faites cuire 8 à 10 minutes à feu doux jusqu'à ce que la sauce ait légèrement épaissi.

Retirez du feu et ajoutez la crème fraîche et le persil haché. Servez aussitôt avec des tagliatelles ou du riz.

pizza-baguette aux champignons et au poivron

Prêt en **10 minutes**

Coupez 2 demi-baguettes en deux horizontalement. Posez-les sur une plaque à pâtisserie, la mie vers le haut, et étalez 2 c. à s. de sauce pour pizza sur chaque moitié. Répartissez dessus 150 g de champignons émincés et 1 poivron vert ou rouge émincé, puis ajoutez 1 petite poignée de mozzarella râpée. Faites cuire sous le gril chaud 3 à 4 minutes. Servez chaud avec une salade verte.

poulet au pesto et au lard

Pour **4 personnes**
Prêt en **30 minutes**

4 **blancs de poulet** sans la peau
3 c. à s. de **pesto rouge** ou **vert**
125 g de **mozzarella** coupée en tranches
2 **tomates** coupées en tranches
50 g de **pousses d'épinard** lavées
8 tranches de **pancetta** ou de **lard découenné**
pommes de terre nouvelles et **légumes verts**, ou **tagliatelles** et **saucc tomate** pour servir

Ouvrez les blancs de poulet en deux dans l'épaisseur sans les détacher pour former une poche et étalez le pesto à l'intérieur. Ajoutez la mozzarella, les tomates et les épinards sur la partie inférieure de chaque blanc de poulet, puis repliez le dessus pour enfermer la garniture. Entourez chaque blanc de poulet avec 2 tranches de pancetta ou de lard puis mettez-les dans un plat à four.

Enfournez 20 à 25 minutes à 200 °C. Plantez une brochette ou un couteau pointu dans le poulet pour vérifier que le jus coule clair, puis servez avec des pommes de terre nouvelles et des légumes verts ou des tagliatelles avec de la sauce tomate.

salade de pâtes au pesto et aux lardons

Prêt en **10 minutes**

Faites chauffer 4 c. à s. d'huile d'olive dans une poêle et faites dorer 8 tranches de lard ou de pancetta hachées à feu moyen-vif 5 à 6 minutes. Égouttez sur du papier absorbant. Faites cuire 400 g de pâtes à cuisson rapide selon les indications de l'emballage. Égouttez-les et laissez-les refroidir sous l'eau froide. Mélangez 3 c. à s. de pesto rouge ou vert avec 3 c. à s. de mayonnaise ou de crème fraîche et 1 c. à s. de jus de citron. Mélangez la sauce au pesto avec les pâtes et 12 tomates cerises coupées en deux, puis répartissez dans 4 assiettes et ajoutez les lardons.

jambon fumé grillé, pomme et brie

Pour **4 personnes**
Prêt en **20 minutes**

1 c. à s. d'**huile d'olive** ou autre **huile végétale**
4 **steaks épais de jambon fumé** de 175 g chacun
2 c. à s. de **compote de pommes** + un peu pour servir (facultatif)
125 g de **brie** coupé en tranches
1 c. à c. de **thym** séché
salade verte pour servir (facultatif)

Frottez l'huile sur les steaks de jambon fumé et mettez-les sur la grille de la lèchefrite garnie de papier d'aluminium. Faites cuire sous le gril préchauffé à température moyenne-forte 4 à 5 minutes de chaque côté jusqu'à ce qu'ils soient bien cuits.

Étalez la compote de pommes en une couche fine sur le jambon grillé et ajoutez les tranches de brie et le thym. Remettez sur la grille et faites cuire 2 à 3 minutes jusqu'à ce que le fromage soit fondu et doré.

Servez avec de la compote de pommes et de la salade verte, si vous le souhaitez.

ciabatta grillé au brie et au jambon

Prêt en **10 minutes**

Coupez 1 pain ciabatta en deux puis chaque moitié en deux dans l'épaisseur pour obtenir 4 morceaux de pain. Étalez 1 c. à s. de compote de pommes et 50 g de tranches très fines de jambon sur chaque morceau de pain. Répartissez 150 g de brie coupé en tranches sur les morceaux de ciabatta, puis disposez-les sur la grille de la lèchefrite recouverte de papier d'aluminium et faites cuire sous le gril préchauffé à température moyenne 3 à 4 minutes jusqu'à ce que le fromage soit fondu. Servez avec de la salade verte.

penne au pesto

Pour **4 personnes**
Prêt en **20 minutes**

50 g de **graines de courge** ou de **noix**
400 g de **penne complètes**
70 g de **roquette**
1 petite **gousse d'ail** écrasée
50 g de **grana padano** fraîchement râpé
75 ml d'**huile d'olive** ou autre **huile végétale**
sel et **poivre**

Faites griller les graines de courge ou les noix dans une poêle à feu doux 3 à 4 minutes, en remuant souvent. Versez les graines ou les noix sur une assiette et réservez.

Faites cuire les penne 11 minutes dans de l'eau bouillante légèrement salée ; égouttez.

Hachez finement les graines de courge ou les noix refroidies dans un robot avec la roquette, l'ail et le fromage. Ajoutez l'huile d'olive en un mince filet tout en mixant jusqu'à ce que la sauce soit épaisse et presque lisse (sinon, préparez le pesto dans un mortier ou hachez les ingrédients à la main aussi finement que possible, puis mélangez-les dans l'huile). Versez dans un saladier, salez et poivrez. Ajoutez les pâtes égouttées.

gratin de pâtes au pesto

Prêt en **30 minutes**

Faites cuire 300 g de penne complètes selon les instructions de l'emballage. Égouttez. Préparez le pesto comme ci-dessus. Incorporez 250 g de mascarpone ou de fromage frais à la crème et 3 tomates coupées en dés. Mélangez la sauce et les pâtes, puis versez dans un plat à four beurré. Parsemez 3 c. à s. de grana padano râpé, puis enfournez 15 minutes à 200 °C jusqu'à ce que le dessus soit doré. Servez avec de la salade verte.

poulet farci au lard fumé

Pour **4 personnes**
Prêt en **20 minutes**

4 petits **blancs de poulet**
125 g de **fromage fumé** ou de **mozzarella** coupée en tranches
1 petit **bouquet de basilic** (facultatif)
8 tranches de **lard fumé**
2 c. à s. d'**huile d'olive** ou autre **huile végétale**
350 g de **sauce tomate pour pâtes**
tagliatelles ou **légumes** pour servir

Découpez une fente dans l'épaisseur des blancs de poulet pour former une poche et glissez-y le fromage et 2 ou 3 feuilles de basilic (facultatif). Entourez les blancs de poulet de tranches de lard pour maintenir la farce.

Faites chauffer l'huile dans une poêle et faites cuire le poulet à feu moyen 5 à 6 minutes de chaque côté jusqu'à ce que le lard soit doré et que le poulet soit bien cuit. Piquez le poulet avec un couteau pointu pour vérifier que le jus coule clair, puis retirez de la poêle et laissez reposer 2 à 3 minutes.

Réchauffez la sauce tomate à feu doux dans la même poêle en raclant le fond pour détacher les morceaux collés. Servez le poulet avec des tagliatelles ou des légumes cuits et la sauce chaude.

papillotes poulet, jambon et fromage

Prêt en **10 minutes**

Étalez 4 tortillas souples à plat. Mettez au centre de chaque tortilla 2 tranches très minces de blanc de poulet cuit, 50 g de jambon fumé en très fines tranches, 50 g de fromage fumé ou de mozzarella et 50 g de poivrons grillés en conserve. Ajoutez 2 ou 3 feuilles de basilic (facultatif) sur chaque tortilla et repliez les bords sur la garniture pour former un carré. Faites chauffer une poêle et faites griller les papillotes deux par deux, 1 à 2 minutes de chaque côté. Servez chaud avec une salade verte.

fondue au fromage

Pour **4 personnes**
Prêt en **30 minutes**

1 **gousse d'ail** pelée et coupée en deux
200 ml de **vin blanc sec**
2 c. à c. de **vinaigre** ou de **jus de citron**
1 ½ c. à s. de **Maïzena®**
4 c. à s. de **kirsch**, **cognac**, **vodka** ou **vin blanc sec**
750 g d'un **mélange de fromage râpé** (par exemple, **emmental**, **gruyère** et **comté 18 mois**)
pain en morceaux, **légumes crus** (**carottes**, **céleri**, **brocoli**, **chou-fleur**, **champignons** coupés en deux, **tomates cerises**), **saucisses** cuites, **oignons au vinaigre**, **cornichons** et **pommes de terre nouvelles** cuites pour servir

Frottez l'intérieur d'une casserole avec le côté coupé de la gousse d'ail. Ajoutez le vin et le vinaigre ou le jus de citron et portez à ébullition. Mélangez la Maïzena® avec l'alcool, sans faire de grumeaux.

Baissez le feu pour que le vin soit à frémissement, puis versez la Maïzena® diluée dans le kirsch en filet, en remuant constamment 1 à 2 minutes jusqu'à ce que le mélange ait légèrement épaissi.

Ajoutez le fromage, une poignée à la fois, en remuant constamment et en attendant que le fromage soit fondu avant d'en ajouter. Lorsque tout le fromage a été ajouté et que la fondue est lisse et épaisse, versez-la dans un caquelon à fondue chaud et placez-le sur un chauffe-plats en suivant les instructions du fabricant. (Sinon, servez la casserole directement à table en la plaçant sur un dessous de plat. Réchauffez la casserole à feu doux si la fondue refroidit et devient trop épaisse.) Servez la fondue avec les différents accompagnements.

fondue au bleu

Prêt en **20 minutes**

Frottez une casserole avec 1 gousse d'ail comme ci-dessus. Versez 250 ml de vin blanc sec ou de cidre et portez à ébullition. Mélangez 1 c. à s. de Maïzena® avec 2 c. à s. de vin ou de cidre et versez en mince filet dans la casserole tout en remuant jusqu'à ce que le mélange épaississe. Ajoutez 500 g de fromage bleu (Saint Agur®, bleu de Bresse, gorgonzola) et 100 ml de crème liquide. Remuez souvent, à feu doux, pour faire fondre. Servez comme ci-dessus.

soupe à l'oignon et croûtons au fromage

Pour **2 personnes**
Prêt en **30 minutes**

50 g de **beurre**
3 **gros oignons** coupés en deux puis émincés
2 **gousses d'ail** grossièrement hachées
1 c. à s. de **farine**
500 ml de **bouillon de bœuf** chaud
1 c. à c. de **thym séché** ou 2 c. à c. de **thym frais**, haché
1 **baguette** individuelle
100 g d'**emmental** ou de **gruyère râpé**
sel et **poivre**

Faites fondre le beurre dans une grande casserole et faites cuire les oignons 15 minutes à feu moyen, en remuant de temps en temps. Ajoutez l'ail et faites cuire 5 minutes de plus jusqu'à ce que les oignons prennent une couleur plus foncée. Saupoudrez la farine et faites cuire 1 minute.

Ajoutez le bouillon de bœuf et le thym, portez à ébullition et faites cuire 8 à 10 minutes pour que les saveurs se développent. Salez et poivrez.

Coupez la baguette en tranches et recouvrez-les de fromage. Faites fondre et dorer 2 à 3 minutes sous le gril du four préchauffé. Avant de servir, versez la soupe dans 2 bols et ajoutez les croûtons au fromage sur le dessus.

croque-madame au fromage et à l'oignon

Prêt en **20 minutes**

Dans un saladier, mélangez 150 g d'emmental ou de gruyère râpé, ½ oignon rouge émincé, 1 c. à s. de moutarde à l'ancienne et 1 c. à s. de crème fraîche. Étalez le mélange sur 2 tranches de pain épaisses puis ajoutez sur chacune 50 g de jambon coupé en fines tranches. Recouvrez avec 2 autres tranches de pain. Faites fondre 25 g de beurre dans une grande poêle et faites dorer les sandwichs à feu moyen 4 à 6 minutes de chaque côté. Retirez-les de la poêle et réservez-les au chaud. Ajoutez 1 c. à s. d'huile dans la poêle et faites cuire 2 œufs au plat à feu moyen 3 à 5 minutes, puis retirez-les avec une spatule. Dressez les sandwichs sur les assiettes avec de la salade verte et ajoutez 1 œuf au plat sur chaque sandwich. Servez aussitôt avec un peu de vinaigrette sur la salade.

brochettes de dinde tikka

Pour **4 personnes**
Prêt en **20 minutes**

3 c. à s. de **pâte de curry tikka masala**
2 c. à s. de **yaourt nature**
500 g de **blancs de dinde** coupés en cubes
1 gros **oignon** coupé en morceaux de la taille d'une bouchée
1 gros **poivron vert** coupé en morceaux de la taille d'une bouchée

Pour servir
riz basmati ou **long** cuit
chutney à la mangue (facultatif)

Dans un saladier, mélangez la pâte de curry avec le yaourt, puis ajoutez les cubes de dinde ; mélangez bien. Enfilez les cubes de dinde sur 4 à 8 brochettes en métal ou en bois préalablement trempées en alternant avec les morceaux d'oignon et de poivron. Placez-les sur la grille d'une lèchefrite recouverte de papier d'aluminium.

Faites cuire sous le gril préchauffé à température moyenne 12 à 15 minutes, en les retournant de temps en temps.

Servez chaud avec du riz et du chutney à la mangue.

dinde tikka masala

Prêt en **30 minutes**

Faites chauffer 2 c. à s. d'huile végétale dans une grande casserole et faites cuire 1 gros oignon grossièrement haché et 1 poivron vert ou rouge coupé en dés 7 à 8 minutes jusqu'à ce qu'ils ramollissent. Incorporez 4 c. à s. de pâte tikka masala dans la poêle puis 400 g de dinde coupée en dés. Mélangez et ajoutez 400 g de tomates concassées en conserve et 300 ml d'eau. Portez à ébullition, baissez le feu et faites cuire, à découvert, 12 à 15 minutes jusqu'à ce que la dinde soit bien cuite et que la sauce ait épaissi. Incorporez 125 g de yaourt nature entier dans le curry avant de servir avec du riz basmati ou long cuit.

tarte Margarita

Pour **4 personnes**
Prêt en **30 minutes**

375 g de **pâte feuilletée**
3 c. à s. de **pesto vert** ou **rouge**
300 g de **tomates cerises** coupées en deux (ou des **tomates** coupées en tranches)
125 g de **mozzarella** coupée en tranches ou en morceaux
12 **olives vertes** ou **noires dénoyautées en saumure**, rincées et égouttées (facultatif)
1 c. à c. d'**origan séché** (facultatif)
2 c. à c. d'**huile d'olive**
roquette pour servir (facultatif)

Déroulez la pâte feuilletée sur une plaque à pâtisserie recouverte de papier sulfurisé ou légèrement graissée et tracez une bordure de 1,5 cm.

Étalez le pesto sur la pâte en couche uniforme, sauf sur la bordure. Ajoutez les tomates cerises et la mozzarella sur le pesto, puis parsemez les olives et l'origan (facultatif).

Arrosez d'huile et enfournez 20 à 25 minutes à 190 °C jusqu'à ce que la pâte soit dorée et croustillante. Découpez des carrés et servez avec une salade de roquette, si vous le souhaitez.

pizza Margarita

Prêt en **20 minutes**

Étalez 6 c. à s. de sauce pour pizza sur 4 minipâtes à pizza ou 2 grandes pâtes à pizza en laissant 1 cm de bordure. Parsemez 250 g de mozzarella coupée en tranches et 125 g de tomates cerises coupées en deux. Ajoutez 12 olives dénoyautées et ½ c. à c. d'origan séché, puis arrosez de 2 c. à c. d'huile d'olive. Enfournez 12 à 15 minutes à 200 °C jusqu'à ce que les pizzas soient croustillantes et dorées. Servez avec de la salade verte.

côtes de porc au barbecue, épis de maïs et riz

Pour **4 personnes**
Prêt en **20 minutes**

2 **oignons verts** émincés + un peu pour décorer (facultatif)
4 c. à s. de **sauce barbecue**
4 **côtes de porc** de 125 g chacune
300 g de **riz long**
4 **épis de maïs** surgelés

Mélangez les oignons verts avec la sauce barbecue, puis frottez ce mélange sur les côtes de porc. Mettez-les dans un plat à four peu profond et faites mariner 10 minutes au réfrigérateur.

Faites cuire sous le gril préchauffé à température moyenne-forte 6 à 8 minutes, en les retournant et en les badigeonnant de temps en temps, jusqu'à ce que les côtes soient bien cuites mais encore juteuses.

Faites cuire le riz dans de l'eau bouillante légèrement salée 15 minutes ou selon les instructions de l'emballage. Égouttez-le bien.

Faites cuire les épis de maïs dans de l'eau bouillante selon les instructions de l'emballage. Égouttez-les.

Mettez le riz dans 4 assiettes chaudes, puis ajoutez les côtes de porc et le jus de cuisson. Servez avec les épis de maïs et de l'oignon vert, si vous le souhaitez.

nouilles au porc à la chinoise

Prêt en **10 minutes**

Faites chauffer 2 c. à s. d'huile dans une poêle et faites sauter 400 g de porc coupé en lanières 3 à 4 minutes jusqu'à ce qu'il soit bien cuit. Ajoutez 150 g de haricots mange-tout coupés en lanières et faites sauter 1 minute, puis ajoutez 400 g de nouilles aux œufs cuites. Remuez 2 à 3 minutes pour réchauffer, puis ajoutez 195 g de sauce hoisin. Servez dans des assiettes creuses.

crevettes au curry

Pour **4 personnes**
Prêt en **20 minutes**

50 g de **beurre**
1 petit **oignon** émincé
2,5 cm de **gingembre frais**, pelé et finement haché (facultatif)
3 c. à s. de **pâte de curry doux** (**korma**, par exemple)
400 ml de **lait de coco**
300 g de **crevettes décortiquées**, crues ou cuites
1 petit **bouquet de coriandre** grossièrement haché
riz basmati ou **long** cuit pour servir

Faites fondre le beurre dans une grande poêle et faites cuire l'oignon et le gingembre 7 à 8 minutes à feu doux afin de ne pas faire brûler le beurre, en remuant de temps en temps, jusqu'à ce que l'oignon soit tendre.

Incorporez la pâte de curry et faites cuire 1 à 2 minutes de plus, en remuant. Ajoutez le lait de coco. Portez à ébullition, baissez le feu et faites cuire 7 à 8 minutes, à couvert.

Si vous utilisez des crevettes crues, ajoutez-les 2 à 3 minutes avant la fin de la cuisson jusqu'à ce qu'elles soient roses. Si vous utilisez des crevettes cuites, ajoutez-les à la dernière minute de cuisson pour les réchauffer. Retirez du feu et ajoutez la coriandre hachée. Servez aussitôt avec du riz cuit.

wraps de crevettes au curry

Prêt en **10 minutes**

Mélangez 2 c. à s. de yaourt nature, 2 c. à s. de mayonnaise, 1 c. à c. de curry doux en poudre, 1 c. à s. de chutney à la mangue et 1 c. à c. de jus de citron. Salez et poivrez. Ajoutez 300 g de crevettes cuites décortiquées (ou 300 g de poulet cuit coupé en tranches). Remuez, puis versez sur 4 grandes ou 8 petites tortillas souples et parsemez 1 petit bouquet de coriandre haché (facultatif). Ajoutez de la laitue iceberg coupée en lanières et 4 à 5 tranches de concombre (facultatif). Formez un rouleau, coupez-le en deux puis servez.

saucisses rôties

Pour **4 personnes**
Prêt en **30 minutes**

8 **saucisses de Toulouse**
1 **oignon** coupé en quartiers
400 g de petites **pommes de terre nouvelles** coupées en deux
2 grosses **carottes** lavées et coupées en morceaux
2 **branches de romarin** ou 1 c. à c. de **romarin séché**
3 c. à s. d'**huile d'olive**
sel et **poivre**
gougères ou **pain** pour servir (facultatif)

Mettez les saucisses dans un grand plat à four et ajoutez le reste des ingrédients. Mélangez bien et étalez en couche uniforme dans le plat.

Enfournez 20 à 25 minutes à 200 °C, en les retournant de temps en temps, jusqu'à ce que les saucisses soient cuites et dorées et que les légumes soient tendres.

Servez chaud avec des gougères ou du pain, si vous le souhaitez.

omelettes aux saucisses

Prêt en **10 minutes**

Faites chauffer 2 c. à s. d'huile d'olive dans une poêle et ajoutez 400 g de pommes de terre nouvelles cuites, coupées en tranches, 3 oignons verts émincés et 225 g de saucisses fumées cuites, coupées en tranches. Mélangez sur feu moyen-vif 2 minutes. Battez 6 œufs dans un bol avec 1 pincée de sel et de poivre, puis versez dans la poêle. Mélangez et faites cuire à feu doux 4 à 5 minutes jusqu'à ce que les œufs soient presque cuits. Parsemez 125 g d'emmental râpé et glissez la poêle sous un gril chaud 2 minutes, en gardant la poignée éloignée de la chaleur. Servez avec de la salade verte.

risotto aux champignons et à la ciboulette

Pour **4 personnes**
Prêt en **30 minutes**

50 g de **beurre**
1 **oignon** finement haché
2 **gousses d'ail** finement hachées
300 g de **champignons de Paris**, hachés
350 g de **riz pour risotto**
125 ml de **vin blanc sec** (facultatif)
1,2 litre de **bouillon de poulet** ou **de légumes** chaud (+ 125 ml si vous n'utilisez pas de vin)
3 c. à s. de **crème fraîche**
2 c. à s. de **ciboulette** hachée
sel et **poivre**
parmesan râpé pour servir (facultatif)

Faites fondre le beurre dans une casserole et faites cuire l'oignon et l'ail 4 à 5 minutes à feu moyen. Ajoutez les champignons et faites cuire 2 à 3 minutes, en remuant. Ajoutez le riz et mélangez 1 minute. Versez le vin blanc et faites cuire 1 minute à feu vif jusqu'à ce que le vin soit absorbé.

Ajoutez 1 petite louchée de bouillon chaud. Remuez constamment en gardant le mélange à frémissement. Quand le bouillon a été absorbé, ajoutez-en 1 autre louchée. Poursuivez la cuisson 17 minutes jusqu'à ce que tout le bouillon soit absorbé et que le riz soit tendre et crémeux.

Incorporez la crème fraîche et la ciboulette dans le risotto. Salez et poivrez. Retirez du feu, couvrez et laissez reposer 2 minutes. Avant de servir, ajoutez du parmesan sur le risotto.

linguine aux champignons et à la ciboulette

Prêt en **20 minutes**

Faites cuire 400 g de linguine ; égouttez-les. Faites chauffer 25 g de beurre avec 1 c. à s. d'huile dans une poêle et faites cuire 1 oignon haché 7 à 8 minutes. Ajoutez 300 g de champignons hachés et 2 gousses d'ail hachées ; faites cuire 3 à 4 minutes, en remuant de temps en temps. Ajoutez 300 ml de crème fraîche et 3 c. à s. de ciboulette hachée. Salez et poivrez. Portez à ébullition, incorporez 1 c. à s. de jus de citron et les linguine égouttées.

poisson pané et purée de petits pois

Pour **4 personnes**
Prêt en **20 minutes**

500 g de **frites au four**
2 à 3 c. à s. de **farine**
1 gros **œuf** battu
6 c. à s. de **chapelure**
4 **filets de poisson blanc** sans peau et sans arête de 125 g chacun
4 c. à s. d'**huile végétale**
250 g de **petits pois** surgelés
1 c. à s. de **jus de citron**
2 c. à s. de **crème fraîche** (facultatif)
sel et **poivre**
sauce tartare pour servir (facultatif)

Disposez les frites sur une plaque à pâtisserie et enfournez 15 à 18 minutes à 220 °C ou selon les indications de l'emballage. Mettez la farine, l'œuf et la chapelure dans 3 plats séparés. Salez et poivrez la farine. Farinez les filets de poisson, trempez-les dans l'œuf battu de chaque côté, puis dans la chapelure.

Faites chauffer l'huile dans une poêle et faites frire le poisson à feu moyen 3 à 4 minutes de chaque côté jusqu'à ce que la chapelure soit dorée et croustillante et que le poisson soit cuit.

Faites cuire les petits pois dans de l'eau bouillante 3 à 5 minutes. Retirez du feu, égouttez et écrasez en purée avec le jus de citron, la crème fraîche (facultatif), du sel et du poivre (ou mixez en purée les petits pois, le jus de citron et la crème fraîche dans un robot). Servez le poisson pané avec les frites, la purée de petits pois, des quartiers de citron et de la sauce tartare, si vous le souhaitez.

bâtonnets de poisson et petits pois

Prêt en **10 minutes**

Faites cuire 8 à 12 bâtonnets de poisson pané sous un gril préchauffé à température moyenne-forte 8 minutes environ. Faites bouillir 400 g de petits pois surgelés 3 à 5 minutes. Égouttez-les et remettez-les dans la casserole. Ajoutez 50 g de beurre, du sel, du poivre et 1 c. à c. de menthe hachée ; mélangez. Servez avec de la sauce tartare ou du ketchup et du pain complet beurré.

feuilletés à la saucisse et au fromage

Pour **4 personnes**
Prêt en **30 minutes**

375 g de **pâte feuilletée** prête à dérouler de 40 × 25 cm environ
3 c. à s. de **fromage frais** (type St Môret®) **nature** ou **à la ciboulette**, à température ambiante
½ petit **oignon rouge** finement haché ou 2 petits **oignons verts** finement hachés
125 g de **gruyère** râpé
8 **saucisses aux herbes**
1 petit **œuf** battu

Déroulez la pâte feuilletée sur le plan de travail et étalez le fromage frais en une couche fine sur le dessus. Parsemez l'oignon haché et 75 g de fromage râpé.

Coupez la pâte en 2 longues bandes et placez 4 saucisses, bout à bout, au milieu de chaque bande de pâte afin de former 2 longs rouleaux en forme de saucisse. Découpez chaque rouleau en 4 rouleaux.

Posez les rouleaux sur une plaque à pâtisserie recouverte de papier sulfurisé et faites 2 ou 3 petites entailles sur chaque rouleau, puis badigeonnez-les d'œuf battu et parsemez le reste du fromage râpé.

Enfournez 18 à 22 minutes à 220 °C jusqu'à ce que les saucisses soient bien cuites et que la pâte soit gonflée et dorée. Servez chaud ou froid pour un brunch ou un déjeuner.

toasts grillés à la saucisse et au fromage

Prêt en **10 minutes**

Mettez 4 morceaux de baguette coupés en deux sur une plaque à pâtisserie, côté coupé vers le haut, et faites-les légèrement griller 2 à 3 minutes sous le gril du four préchauffé à température moyenne. Battez 1 œuf dans un saladier et incorporez 150 g de gruyère râpé, 2 c. à c. de sauce Worcestershire, 1 c. à c. de moutarde à l'ancienne et 2 c. à s. de lait ou de bière. Coupez 8 saucisses de Francfort ou un reste de saucisse cuite en grosses rondelles et mettez-les sur la baguette grillée. Ajoutez la garniture au fromage sur les saucisses et faites dorer sous le gril 2 à 3 minutes. Servez chaud.

tofu grillé au gingembre et nouilles

Pour **4 personnes**
Prêt en **10 minutes**

2 c. à s. d'**huile végétale**
500 g de **légumes pour wok** surgelés
400 g de **nouilles fraîches**
400 g de **tofu ferme** coupé en tranches épaisses

Pour la marinade
2,5 cm de **gingembre frais**, pelé et râpé
2 grosses **gousses d'ail** écrasées
3 c. à s. de **sauce soja foncée**
3 c. à s. de **miel liquide**

Faites chauffer l'huile dans un wok et faites sauter les légumes le temps indiqué sur l'emballage. Ajoutez les nouilles et remuez 3 à 4 minutes.

Mélangez le gingembre, l'ail, la sauce soja et le miel. Ajoutez les tranches de tofu et enrobez-les délicatement de marinade. Réservez le reste de la marinade. Disposez le tofu sur une plaque à pâtisserie recouverte de papier d'aluminium et faites cuire sous le gril préchauffé à température moyenne 4 minutes environ, en le retournant une fois délicatement, jusqu'à ce qu'il soit doré.

Retirez les nouilles du feu, versez-y le reste de la marinade et ajoutez le tofu grillé sur le dessus.

wok de tofu au gingembre

Prêt en **20 minutes**

Faites chauffer 2 c. à s. d'huile dans un wok et faites sauter 320 g de morceaux de tofu marinés 3 à 4 minutes. Retirez et réservez. Ajoutez 500 g de légumes pour wok surgelés et faites sauter le temps indiqué sur l'emballage. Ajoutez 2,5 cm de gingembre frais, pelé et haché, et 2 gousses d'ail ; faites sauter 1 minute. Mélangez 3 c. à s. de sauce soja claire avec 2 c. à s. de miel liquide, puis retirez le wok du feu, versez la sauce et remettez le tofu dans le wok. Remuez et servez avec 500 g de riz à l'œuf.

curry de légumes et riz

Pour **4 personnes**
Prêt en **30 minutes**

2 c. à s. d'**huile végétale**
1 **oignon** grossièrement haché
600 g d'un **mélange de légumes hachés** (**carotte**, **poireau**, **panais**, **pomme de terre**, **chou-fleur** et **brocoli**)
2 **gousses d'ail** hachées
2,5 cm de **gingembre frais**, haché
4 c. à s. de **pâte de curry moyennne-forte**
400 g de **tomates concassées** en conserve
400 ml de **bouillon de légumes** chaud
riz cuit pour servir

Faites chauffer l'huile dans une casserole et faites cuire l'oignon et les légumes 10 minutes à feu moyen, en remuant souvent, jusqu'à ce qu'ils soient légèrement dorés et qu'ils commencent à ramollir. Incorporez l'ail et le gingembre et faites cuire 2 minutes de plus, puis ajoutez la pâte de curry et mélangez sur le feu pendant 1 minute.

Versez les tomates concassées et le bouillon de légumes, portez à ébullition, baissez le feu et faites mijoter 15 minutes à feu doux jusqu'à ce que le curry ait légèrement épaissi et que les légumes soient tendres. Servez sur du riz cuit.

riz aux légumes et sauce au curry

Prêt en **10 minutes**

Faites chauffer 2 c. à s. d'huile dans une poêle et faites sauter 500 g de riz pilaf cuit 3 à 4 minutes. Incorporez 2 × 300 g de macédoine de légumes en conserve égouttée ou 400 g de brunoise de légumes surgelés et faites chauffer 2 à 3 minutes ou le temps indiqué sur l'emballage. Faites chauffer 500 g de sauce au curry dans une petite casserole 2 à 3 minutes. Quand elle est presque bouillante, retirez du feu. Versez le riz aux légumes dans des assiettes creuses et servez avec la sauce au curry et du pain naan chaud.

salade de pommes de terre aux sardines

Pour **4 personnes**
Prêt en **10 minutes**

3 c. à s. de **mayonnaise**
2 c. à s. de **sauce tartare**
2 c. à c. de **jus de citron**
2 c. à s. de **ciboulette** ou de **persil** (facultatif)
625 g de **pommes de terre cuites** coupées en dés
2 × 120 g de **sardines** en conserve, égouttées et émiettées
sel et **poivre**

Dans un grand saladier, mélangez la mayonnaise, la sauce tartare, le jus de citron et les herbes hachées ; salez et poivrez.

Incorporez les pommes de terre et les sardines puis répartissez entre les assiettes avant de servir.

sardines gratinées

Prêt en **30 minutes**

Faites chauffer 700 g de sauce tomate pour pâtes (arrabbiata ou napoletana) dans une grande casserole. Ajoutez 390 g de morceaux de poisson (saumon, haddock fumé, cabillaud) et faites mijoter à feu doux 5 à 8 minutes jusqu'à ce que le poisson soit cuit. Ajoutez 120 g de sardines à la tomate en conserve émiettées et 200 g de crevettes décortiquées cuites, puis versez dans un plat à four peu profond. Dans un saladier, mélangez 75 g de chapelure grossière avec 2 c. à s. de parmesan râpé (facultatif), 2 c. à s. de persil finement haché ou de ciboulette (facultatif) et 1 c. à s. d'huile d'olive. Saupoudrez sur le poisson et enfournez 15 minutes à 190 °C jusqu'à ce que le dessus soit doré et croustillant. Servez aussitôt avec les légumes de votre choix.

desserts

muffins chocolat-banane

Pour **6 personnes**
Prêt en **30 minutes**

225 g de **farine** tamisée
1 sachet de **levure chimique**
2 c. à s. de **cacao en poudre** tamisé
100 g de **sucre**
100 g de **pépites de chocolat noir**
2 **œufs**
2 petites **bananes** bien mûres, écrasées
50 ml d'**huile végétale**
125 g de **yaourt nature**
sauce au caramel chaude pour servir

Dans un saladier, mélangez la farine, le cacao, le sucre et 75 g de pépites de chocolat.

Mélangez les œufs, les bananes, l'huile et le yaourt dans un saladier, puis ajoutez-les aux ingrédients secs. Mélangez sans trop lisser la pâte. Répartissez la pâte dans une plaque de 12 moules à muffin beurrés ou chemisés de caissettes en papier. Ajoutez le reste des pépites de chocolat sur le dessus.

Enfournez 18 à 22 minutes à 180 °C jusqu'à ce que les muffins soient gonflés et fermes au toucher. Faites tiédir sur une grille. Servez tiède, arrosé de sauce au caramel chaude.

sundaes chocolat-banane

Prêt en **10 minutes**

Émiettez 12 biscuits au chocolat fourrés à la crème (type Oreo®) dans 6 grands verres et ajoutez 1 c. à s. de sauce au caramel dans chaque verre. Coupez 3 grosses bananes mûres mais fermes en rondelles et répartissez-les dans les verres. Ajoutez 2 boules de glace à la vanille par personne et terminez par de la crème Chantilly. Arrosez d'un peu de sauce au caramel avant de servir, si vous le souhaitez.

coupes glacées à la compote aux fruits secs

Pour **4 à 6 personnes**
Prêt en **10 minutes**

250 g d'un **mélange de fruits secs** : **abricots**, **pruneaux**, **dattes**...
350 ml de **jus d'orange**
1 **gousse de vanille** fendue en deux
8 à 12 **boules de glace à la vanille** pour servir (facultatif)
gaufrettes à glace pour servir (facultatif)

Mettez les fruits secs dans une petite casserole avec le jus d'orange et la gousse de vanille ; laissez mijoter 6 à 7 minutes à feu doux, en remuant souvent, jusqu'à ce que les fruits gonflent et ramollissent.

Versez dans un saladier et laissez refroidir légèrement. Répartissez la glace dans 4 à 6 coupes et ajoutez la compote de fruits secs chaude sur le dessus avec le liquide de cuisson. Servez avec des gaufrettes, si vous le souhaitez.

rochers aux fruits secs

Prêt en **30 minutes**

Tamisez 250 g de farine, 1 sachet de poudre à lever et 1 c. à c. de cannelle moulue (facultatif). Ajoutez 125 g de beurre ramolli dans la farine et sablez du bout des doigts jusqu'à ce que le mélange ressemble à de la chapelure. Ajoutez 2 c. à c. de zeste d'orange râpé, 150 g d'un mélange de fruits secs et 125 g de sucre. Incorporez 1 gros œuf battu, 1 jaune d'œuf et 1 à 2 c. à s. de lait pour obtenir une pâte molle. Formez 8 à 10 tas de pâte sur une plaque à pâtisserie recouverte de papier sulfurisé et saupoudrez de sucre en poudre, granulé ou roux. Enfournez 20 minutes à 190 °C. Laissez refroidir sur une grille.

petits gâteaux vanille-framboise

Pour **4 à 6 personnes**
Prêt en **20 minutes**

125 g de **beurre** ou de **margarine** ramolli
125 g de **farine**
½ sachet de **levure chimique**
125 g de **sucre en poudre**
2 **œufs**
1 c. à c. d'**extrait de vanille**
12 c. à c. de **confiture de framboises** pour servir

Dans un saladier, mélangez le beurre, la farine, le sucre, les œufs et l'extrait de vanille jusqu'à ce que la pâte soit lisse, pâle et crémeuse. Répartissez la pâte dans une plaque de 12 moules à muffin beurrés ou chemisés de caissettes en papier.

Enfournez 12 à 14 minutes à 190 °C jusqu'à ce que les muffins soient gonflés, dorés et fermes au toucher. La pointe d'un couteau enfoncée dans les gâteaux doit ressortir sèche.

Faites tiédir sur une grille et ajoutez 1 cuillerée à café de confiture de framboises sur chaque gâteau avant de servir.

quatre-quarts à la confiture

Prêt en **30 minutes**

Dans un saladier, battez 3 œufs, 1 c. à c. d'extrait de vanille, 175 g de sucre en poudre, 175 g de farine, 2 c. à c. de levure chimique et 175 g de beurre ramolli jusqu'à ce que la pâte soit pâle et crémeuse. Répartissez le mélange dans 2 moules à manqué de 20 cm de diamètre chemisés de papier sulfurisé. Enfournez 20 minutes à 190 °C jusqu'à ce que les gâteaux soient gonflés et dorés. Démoulez, retirez le papier et laissez refroidir sur une grille avant d'étaler 4 à 5 c. à s. de confiture de framboises ou de cassis, ou de la confiture de votre choix, sur l'un des gâteaux. Collez l'autre gâteau sur le dessus, saupoudrez de sucre, coupez des parts et servez le plus vite possible.

ananas caramélisé et riz au lait

Pour **4 à 6 personnes**
Prêt en **10 minutes**

25 g de **beurre**
2 c. à s. de **sucre roux**
425 g d'**ananas en rondelles au sirop**, égoutté
riz au lait froid ou chaud pour servir

Faites fondre le beurre dans une grande poêle. Saupoudrez les rondelles d'ananas de sucre de chaque côté. Mettez les rondelles d'ananas dans la poêle et faites-les dorer à feu doux 2 à 3 minutes de chaque côté jusqu'à ce qu'elles soient caramélisées.

Faites refroidir légèrement et servez avec du riz au lait froid ou chaud.

riz au lait de coco et ananas

Prêt en **30 minutes**

Mettez 125 g de riz rond dans une casserole avec 400 ml de lait de coco, 400 ml de lait, 50 g de sucre roux et 25 g de beurre. Placez sur le feu, portez à ébullition, baissez le feu et faites mijoter 25 minutes environ, en remuant souvent, jusqu'à ce que le riz soit crémeux et tendre. Faites caraméliser l'ananas comme ci-dessus. Versez le riz au lait dans des bols et servez avec l'ananas caramélisé.

cheesecake au chocolat et à l'orange

Pour **6 personnes**
Prêt en **30 minutes**

250 g de **biscuits au chocolat** écrasés
100 g de **beurre** fondu
300 g de **cream cheese Philadelphia®** ou de **mascarpone**
3 c. à s. de **pâte à tartiner au chocolat**
2 c. à c. de **zeste d'orange** finement râpé
75 g de **sucre**
chocolat à l'orange râpé pour décorer

Mélangez les biscuits écrasés avec le beurre fondu. Tassez au fond d'un moule à manqué de 23 cm de diamètre tapissé de film alimentaire. Faites durcir au congélateur ou au réfrigérateur pendant la préparation de la garniture.

Battez le cream cheese ou le mascarpone avec la pâte à tartiner, le zeste d'orange et le sucre jusqu'à ce que la consistance soit épaisse et lisse. Versez dans le moule et lissez uniformément. Remettez au congélateur ou au réfrigérateur au moins 20 minutes jusqu'à ce que le gâteau prenne, puis décorez avec du chocolat à l'orange râpé avant de servir.

crèmes au chocolat et à l'orange

Prêt en **20 minutes**

Dans un saladier, fouettez 200 g de cream cheese ou de mascarpone, 2 c. à c. de zeste d'orange finement râpé, 125 g de yaourt à la grecque et 3 c. à s. de sucre jusqu'à ce que la préparation soit lisse et onctueuse. Incorporez 75 g de chocolat noir finement haché et versez dans 6 coupelles en verre. Placez 10 minutes au moins au réfrigérateur. Mélangez 175 g de biscuits au chocolat écrasés avec 50 g de beurre fondu. Versez ce mélange sur les crèmes au chocolat au moment de servir.

gaufres au chocolat blanc et à l'abricot

Pour **4 personnes**
Prêt en **10 minutes**

300 ml de **crème fraîche**
200 g de **chocolat blanc**
8 **gaufres**
400 g d'**oreillons d'abricot au sirop**, égouttés et coupés en tranches
pistaches (facultatif)

Faites chauffer la crème dans une petite casserole sans la porter à ébullition. Hachez finement ou râpez grossièrement le chocolat blanc et mettez-le dans un saladier résistant à la chaleur. Versez la crème chaude sur le chocolat et remuez jusqu'à ce que le chocolat soit fondu et que le mélange soit lisse.

Faites griller les gaufres selon les instructions de l'emballage et mettez-les sur des assiettes. Versez un peu de crème au chocolat sur le dessus et ajoutez des tranches d'abricot. Parsemez quelques pistaches concassées pour décorer (facultatif) et servez avec de la sauce au chocolat supplémentaire.

muffins au chocolat blanc et aux abricots

Prêt en **30 minutes**

Mettez 100 g de sucre dans un saladier avec 225 g de farine, 2 c. à c. de poudre à lever, 75 g de chocolat blanc en morceaux et 50 g d'abricots secs moelleux. Dans un autre saladier, battez 2 œufs, 50 g de beurre fondu et 125 ml de lait fermenté ou de yaourt nature. Versez ce mélange dans les ingrédients secs et remuez sans trop lisser. Répartissez la pâte dans une plaque de 12 moules à muffin beurrés ou chemisés de caissettes en papier. Enfournez 18 à 22 minutes à 180 °C jusqu'à ce que les muffins soient gonflés et fermes au toucher. Laissez tiédir sur une grille ; servez les muffins encore tièdes.

tulipes aux fruits rouges

Pour **6 personnes**
Prêt en **10 minutes**

250 g de **mascarpone**
150 ml de **crème entière**
2 c. à s. de **sucre**
1 c. à c. d'**extrait de vanille** (facultatif)
6 **tulipes**
500 g de **fruits rouges** (**fraises** équeutées, **framboises**, **mûres**, **myrtilles**)

Fouettez le mascarpone, la crème, le sucre et la vanille (facultatif) jusqu'à ce que la préparation soit lisse et épaisse.

Versez dans les tulipes et ajoutez les fruits rouges sur le dessus. Servez aussitôt.

Si vous ne trouvez pas de tulipes prêtes à l'emploi, mélangez 100 g de sucre glace et 50 g de beurre pommade. Incorporez 2 blancs d'œufs, lissez, puis ajoutez 60 g de farine. Étalez la pâte en disques de 10 cm de diamètre sur une plaque de four recouverte de papier sulfurisé. Enfournez 10 minutes à 150 °C. Décollez les disques immédiatement et laissez-les sécher sur des verres retournés pour qu'ils prennent la forme d'une tulipe.

crumble aux fruits rouges

Prêt en **30 minutes**

Mélangez 500 g de fruits rouges surgelés avec 2 c. à s. de sucre roux et versez dans un plat à four beurré. Dans un saladier, mélangez 75 g de farine et 75 g de beurre. Sablez la pâte du bout des doigts jusqu'à ce qu'elle ressemble à de la chapelure. Incorporez 75 g de flocons d'avoine et 1 petite poignée d'amandes effilées (facultatif). Versez la pâte à crumble sur les fruits et enfournez 20 minutes environ à 180 °C jusqu'à ce que le dessus soit doré. Servez avec de la crème ou de la glace, si vous le souhaitez.

brownie aux barres chocolatées

Pour **4 à 6 personnes**
Prêt en **30 minutes**

200 g de **chocolat noir**
125 g de **beurre**
2 gros **œufs**
125 g de **sucre roux**
75 g de **farine**
½ c. à c. de **levure chimique**
75 g de **barres chocolatées** Mars® (ou autres barres chocolatées) coupées en 12 tranches

Faites fondre le chocolat noir avec le beurre dans une petite casserole sur feu très doux.

Fouettez les œufs avec le sucre dans un saladier, puis incorporez la farine et la levure. Ajoutez le chocolat fondu et mélangez. Répartissez la pâte dans une plaque de 12 moules à muffin beurrés ou chemisés de caissettes en papier. Enfoncez 1 tranche de barre chocolatée dans chaque moule et enfournez 18 minutes environ à 180 °C jusqu'à ce que les brownies soient juste fermes au toucher. Laissez refroidir dans le moule jusqu'à ce que vous puissiez les tenir dans la main. Servez chaud ou froid.

cookies aux pépites de chocolat au lait

Prêt en **20 minutes**

Fouettez 125 g de beurre ramolli et 75 g de sucre jusqu'à ce que le mélange blanchisse et soit crémeux. Ajoutez 1 jaune d'œuf, puis 125 g de farine, 1 c. à s. de cacao en poudre, ½ c. à c. de poudre à lever et 100 g de pépites de chocolat au lait. Déposez 16 à 20 boulettes de pâte légèrement aplaties sur 2 plaques à pâtisserie recouvertes de papier sulfurisé. Enfournez 12 minutes environ à 180 °C jusqu'à ce que les cookies soient légèrement plus foncés sur les bords. Laissez refroidir sur une grille.

barres aux flocons d'avoine et aux raisins secs

Pour **6 à 8 personnes**
Prêt en **30 minutes**

200 g de **beurre**
75 g de **miel liquide**
150 g de **lait concentré sucré**
125 g de **sucre**
325 g de **flocons d'avoine**
75 g de **raisins secs**
75 g de **farine**
½ c. à c. de **levure chimique**

Faites fondre le beurre avec le miel, le lait concentré et le sucre dans une grande casserole à feu moyen-vif. Retirez du feu et ajoutez les flocons d'avoine, les raisins secs, la farine et la levure. Mélangez bien.

Beurrez un moule carré de 25 cm de côté et de 3,5 cm de hauteur et chemisez-le de papier sulfurisé. Versez la pâte dans le moule. Enfournez 15 à 18 minutes à 180 °C jusqu'à ce que la pâte soit légèrement dorée.

Retirez du four et laissez refroidir dans le moule 2 à 3 minutes avant de découper 16 carrés ou rectangles. Laissez durcir 5 minutes dans le moule, puis laissez-les refroidir sur une grille.

cookies à la noix de coco et aux raisins secs

Prêt en **20 minutes**

Dans un saladier, fouettez 100 g de sucre et 100 g de beurre jusqu'à ce que le mélange soit crémeux, puis ajoutez 2 c. à s. de miel liquide, 1 petit œuf, 100 g de farine, ½ c. à c. de poudre à lever, 75 g de flocons d'avoine, 75 g de raisins secs et 50 g de noix de coco râpée. Mélangez. Formez 20 boulettes de pâte légèrement aplaties et mettez-les sur 2 plaques à pâtisserie recouvertes de papier sulfurisé. Enfournez 12 minutes à 180 °C jusqu'à ce que les cookies soient dorés. Laissez refroidir sur une grille.

compote de rhubarbe et crème anglaise

Pour **4 à 6 personnes**
Prêt en **20 minutes**

750 g de **rhubarbe** coupée en morceaux de 3,5 cm de long
3 c. à s. de **jus d'orange** ou d'**eau**
½ c. à c. de **gingembre moulu** (facultatif)
50 à 100 g de **sucre**
2 c. à s. de **préparation en poudre pour crème anglaise**
600 ml de **lait**

Mettez la rhubarbe dans une grande casserole avec le jus d'orange ou l'eau et le gingembre moulu (facultatif). Réservez 1 cuillerée à soupe de sucre et ajoutez la quantité de sucre de votre choix à la rhubarbe. Faites chauffer jusqu'à ce que le sucre soit dissous, puis faites cuire 6 à 8 minutes à feu doux, en remuant de temps en temps, jusqu'à ce que la rhubarbe soit tendre. Retirez du feu et laissez refroidir légèrement.

Mettez la préparation en poudre pour crème anglaise dans un saladier avec le sucre réservé, et mélangez avec 2 cuillerées à soupe de lait. Faites chauffer le reste du lait dans une casserole et retirez du feu juste avant l'ébullition. Versez dans le saladier en un mince filet en remuant constamment pour éviter la formation de grumeaux. Remettez dans la casserole et faites chauffer, en remuant constamment, jusqu'à ce que la crème épaississe. (Sinon, faites chauffer 600 ml de crème anglaise prête à l'emploi selon les instructions de l'emballage.)

Versez la rhubarbe dans des assiettes creuses et servez avec la crème anglaise.

génoise à la rhubarbe et crème anglaise

Prêt en **10 minutes**

Fouettez 300 ml de crème anglaise épaisse bien froide avec 125 g de mascarpone et 1 c. à c. d'extrait de vanille (facultatif). Étalez cette crème sur une génoise prête à l'emploi. Étalez dessus 400 g de compote de rhubarbe en bocal. Coupez des parts et servez.

pancakes aux pépites de chocolat

Pour **4 à 6 personnes**
Prêt en **20 minutes**

175 g de **farine** tamisée
1 ½ c. à c. de **poudre à lever**
25 g de **sucre**
1 **œuf** légèrement battu
225 ml de **lait fermenté**
75 g de **pépites de chocolat**
beurre pour la cuisson

Pour servir
crème fouettée ou **glace**
sauce au chocolat chaude (facultatif)

Mélangez la farine dans un saladier avec la poudre à lever et le sucre. Mélangez l'œuf avec le lait fermenté et ajoutez-les dans la farine. Battez pour obtenir une pâte lisse et épaisse, puis incorporez les pépites de chocolat.

Faites fondre une noisette de beurre dans une grande poêle antiadhésive et versez des cuillerées à soupe de pâte dans la poêle. Faites cuire à feu doux 1 à 2 minutes jusqu'à ce que les bulles commencent à apparaître à la surface des pancakes, puis retournez-les et faites cuire 1 minute de plus.

Faites cuire les autres pancakes, en ajoutant un peu de beurre, si nécessaire.

Servez avec de la crème fouettée ou des boules de glace, et arrosez de sauce au chocolat chaude, si vous le souhaitez.

brownies à la crème au chocolat

Prêt en **10 minutes**

Versez 500 ml de crème anglaise prête à l'emploi dans une petite casserole et faites chauffer à feu doux sans la faire bouillir. Retirez du feu et incorporez 75 g de chocolat noir haché jusqu'à ce qu'il soit fondu. Mettez 4 brownies au chocolat sur des assiettes. Versez la crème au chocolat chaude sur le dessus.

tartelettes aux abricots et aux amandes

Pour **6 personnes**
Prêt en **20 minutes**

1 **œuf**
50 g de **sucre**
50 g de **beurre** ramolli
50 g de **poudre d'amandes**
6 **fonds de tartelette** de 8 cm de diamètre cuits
6 **oreillons d'abricot au sirop**, égouttés et coupés en tranches
2 c. à s. d'**amandes effilées**
glace ou **crème Chantilly** pour servir (facultatif)

Dans un saladier, battez l'œuf avec le sucre, le beurre et la poudre d'amandes jusqu'à ce que la consistance soit lisse et crémeuse. Répartissez le mélange dans les fonds de tartelette et ajoutez les tranches d'abricot sur le dessus.

Parsemez les amandes effilées et enfournez 12 à 15 minutes à 180 °C jusqu'à ce que le dessus soit doré. Servez les tartelettes chaudes avec une boule de glace ou de la crème fouettée, si vous le souhaitez.

crumble aux abricots et aux amandes

Prêt en **30 minutes**

Égouttez 2 × 410 g de demi-abricots au sirop, en réservant le jus. Coupez les abricots en grosses tranches et mettez-les dans un plat à four avec 2 c. à s. de jus réservé. Mélangez 50 g d'amandes hachées avec 225 g de préparation pour crumble, et répartissez-le sur les abricots. Enfournez 20 à 25 minutes à 180 °C. Servez avec de la glace.

glace rhum-raisins

Pour **2 personnes**
Prêt en **10 minutes**

25 g de **beurre**
50 g de **sucre roux**
2 c. à s. de **crème entière**
1 c. à s. de **rhum brun**
1 petite poignée de **raisins secs**
4 **boules de glace à la vanille** ou **de glace au rhum et aux raisins secs** pour servir

Faites fondre le beurre dans une petite casserole avec le sucre et la crème en remuant. Ajoutez le rhum et les raisins secs, portez à ébullition, puis retirez du feu et réservez pour faire gonfler les raisins secs et faire légèrement refroidir la sauce.

Mettez 2 boules de glace par personne dans des coupelles ou des assiettes creuses à dessert. Arrosez de sauce tiède avant de servir.

crêpes rhum-raisins et glace

Prêt en **30 minutes**

Tamisez 75 g de farine dans un saladier avec 1 c. à s. de sucre et formez un puits au centre. Fouettez 1 œuf avec 200 ml de lait, puis versez dans le puits et fouettez pour incorporer peu à peu la farine jusqu'à ce que la pâte soit lisse. Laissez reposer 10 à 15 minutes. Faites chauffer 3 c. à s. de rhum brun, 2 c. à s. de sucre, 1 petite poignée de raisins secs, 25 g de beurre et 2 c. à s. d'eau dans une petite casserole sur feu moyen-doux. Remuez pour faire fondre le sucre, puis faites chauffer 2 à 3 minutes à feu doux jusqu'à ce que le liquide soit sirupeux. Retirez du feu et laissez refroidir légèrement. Faites fondre 1 noisette de beurre dans une poêle, versez de la pâte et étalez-la au fond de la poêle en fine couche. Faites cuire 1 à 2 minutes et retournez la crêpe ; faites cuire 1 minute sur l'autre face. Retirez et réservez au chaud pendant que vous préparez le reste des crêpes, en ajoutant du beurre, si nécessaire. Pliez les crêpes, mettez-les sur des assiettes chaudes et ajoutez 1 boule de glace sur le dessus, puis arrosez avec le sirop au rhum et aux raisins secs.

poires pochées au jus de cranberry

Pour **4 à 6 personnes**
Prêt en **30 minutes**

1,2 litre de **jus de cranberry** ou de **jus cranberry-pomme**
2 c. à s. de **miel liquide**
les **graines de 1 gousse de vanille** (facultatif)
2 c. à c. de **jus de citron** ou **de citron vert**
6 grosses **poires**

Versez le jus de cranberry dans une grande casserole avec le miel, les graines de vanille (facultatif) et le jus de citron. Faites chauffer à feu doux sans faire bouillir.

Pelez et épépinez les poires. Coupez-les en quartiers. Ajoutez-les dans la casserole et faites pocher 15 minutes à feu doux en veillant à ce que les poires soient immergées dans le liquide ; faites cuire jusqu'à ce qu'elles soient tendres. Retirez du feu et laissez refroidir 10 minutes.

Mettez les poires dans des bols et versez un peu de jus de cuisson avant de servir.

crumble poire et cranberry

Prêt en **20 minutes**

Dans un saladier, mélangez 75 g de flocons d'avoine, 50 g de noix hachées, 50 g de sucre et 50 g de beurre. Réservez. Égouttez 2 × 410 g de demi-poires au sirop, en réservant 2 c. à s. de sirop. Coupez les poires en dés et versez-les dans un plat à four avec 50 g de cranberries, le sirop réservé, 1 c. à s. de miel liquide et 1 c. à c. d'extrait de vanille (facultatif). Parsemez le mélange aux flocons d'avoine sur le dessus et enfournez 12 à 15 minutes à 180 °C. Servez avec de la glace.

cupcakes au glaçage citronné

Pour **6 personnes**
Prêt en **30 minutes**

125 g de **beurre** ramolli
125 g de **sucre**
125 g de **farine**
1 c. à c. de **levure chimique**
2 **œufs**
1 c. à s. de **lait**
2 c. à c. de **zeste de citron** finement râpé
150 g de **sucre glace** tamisé
2 c. à c. de **jus de citron**
sucre pétillant pour décorer

Dans un saladier, battez le beurre, le sucre, la farine, les œufs, le lait et 1 cuillerée à café de zeste de citron jusqu'à ce que le mélange soit pâle et crémeux.

Répartissez la pâte dans une plaque de 12 moules à muffin beurrés ou chemisés de caissettes en papier. Enfournez 12 à 15 minutes à 190 °C jusqu'à ce que les gâteaux soient dorés et gonflés. Laissez refroidir sur une grille.

Mélangez le sucre glace avec le reste du zeste de citron et suffisamment de jus de citron pour obtenir un mélange lisse et épais. Étalez le glaçage sur les cupcakes froids et saupoudrez de sucre pétillant.

cupcakes surprise au citron

Prêt en **10 minutes**

Fouettez 150 ml de crème entière liquide froide avec 1 c. à c. de zeste de citron et 1 c. à s. de sucre glace tamisé en chantilly souple. Coupez le sommet de 12 muffins au citron ou à la vanille et ajoutez 1 c. à c. de lemon curd dans chaque muffin. Ajoutez 1 cuillerée de crème Chantilly sur le lemon curd et parsemez un peu de sucre pétillant sur le dessus, si vous le souhaitez. Replacez les sommets avant de servir.

verrines à la mandarine

Pour **6 personnes**
Prêt en **10 minutes**

500 ml de **crème liquide entière** froide
1 c. à c. de **zeste d'orange** finement râpé
75 g de **meringues** coupées en morceaux
4 **mandarines** épluchées et divisées en segments

Fouettez la crème avec le zeste d'orange (facultatif) dans un saladier jusqu'à ce que des pointes souples se forment.

Incorporez les meringues et les segments de mandarine, en réservant un peu de meringues et de mandarines pour décorer. Versez dans des grands verres et ajoutez les morceaux de meringue et les segments de mandarine réservés sur le dessus.

muffins renversés à la mandarine

Prêt en **30 minutes**

Répartissez les segments de 2 mandarines dans une plaque de 12 moules à muffin beurrés. Dans un saladier, mélangez 250 g de farine, 1 sachet de levure chimique, 1 c. à c. de bicarbonate de soude, 100 g de sucre et 1 c. à c. de zeste d'orange finement râpé. Battez 1 œuf avec 75 ml d'huile végétale et 150 ml de lait fermenté, puis versez dans le saladier et remuez délicatement sans trop mélanger. Versez la pâte dans les moules à muffin et enfournez 18 à 22 minutes à 180 °C jusqu'à ce que les muffins soient gonflés et fermes au toucher. Démoulez et servez-les à l'envers avec de la crème fouettée.

salade de fruits

Pour **6 personnes**
Prêt en **10 minutes**

1 petit **ananas** mûr
1 petit **melon** mûr
250 g de **fraises**
150 g de **raisins** sans pépins
2 c. à s. de **sirop de pomme** ou **de sureau** (facultatif)

Retirez la peau de l'ananas avec un couteau, coupez-le en quartiers et retirez le cœur dur. Découpez la chair en morceaux de la taille d'une bouchée, mettez-les dans un saladier et réservez le jus d'ananas.

Coupez le melon en deux et retirez les pépins avec une cuillère. Coupez chaque moitié en deux et retirez la peau. Coupez la chair en morceaux de la taille d'une bouchée et ajoutez-les à l'ananas, en réservant le jus du melon.

Ajoutez les fraises et les raisins aux fruits en les coupant en deux, si nécessaire.

Mélangez les jus réservés avec le sirop et versez sur la salade. Remuez délicatement et servez aussitôt.

tartelettes aux fruits

Prêt en **20 minutes**

Badigeonnez 6 feuilles de pâte filo de 30 × 40 cm avec 50 g de beurre fondu ; pliez chaque feuille en deux, puis de nouveau en deux et enfoncez les feuilles dans 6 moules à muffin en rabattant les bords pour former 6 tartelettes. Saupoudrez 2 c. à s. de sucre roux sur le dessus. Enfournez 8 à 10 minutes à 190 °C. Retirez des moules et laissez refroidir sur une grille. Garnissez chaque tartelette de 2 c. à s. de crème anglaise épaisse froide et répartissez 400 g de morceaux de fruits prêts à l'emploi (fraises, melon, raisin et ananas) sur les tartelettes.

feuilletés roulés aux cerises

Pour **6 personnes**
Prêt en **20 minutes**

3 c. à s. de **sucre**
375 g de **pâte feuilletée** prête à dérouler
4 à 5 c. à s. de **confiture de cerises** ou de la **confiture de votre choix**

Saupoudrez le plan de travail de sucre, déroulez la pâte en pressant l'un des côtés dans le sucre. Étalez la confiture en fine couche sur le côté non sucré. Formez un rouleau.

Coupez le rouleau en 24 tranches de 1 cm d'épaisseur et mettez-les sur deux plaques à pâtisserie recouvertes de papier sulfurisé. Enfournez 12 à 15 minutes à 200 °C jusqu'à ce que les feuilletés soient croustillants et dorés. Placez délicatement sur une grille pour les faire refroidir.

trifle chocolat-cerise

Prêt en **10 minutes**

Coupez 1 biscuit roulé au chocolat en tranches et mettez-les dans un saladier en verre. Versez 400 g de cerises au sirop égouttées et 300 g de crème anglaise au chocolat. Fouettez 150 ml de crème liquide froide en chantilly souple et versez sur la crème. Décorez avec des copeaux de chocolat ou du chocolat râpé.

croustillants aux pommes et au gingembre

Pour **6 personnes**
Prêt en **10 minutes**

75 g d'un **mélange de fruits à coque (noix, noisettes**…) hachés
1 c. à c. de **gingembre moulu**
3 c. à s. de **sucre**
50 g de **chapelure**
50 g de **beurre** fondu
740 g de **compote de pommes en morceaux**, en bocal
200 ml de **crème fraîche**

Mettez les fruits à coque, le gingembre, le sucre et la chapelure dans une grande poêle avec le beurre fondu et faites cuire 6 à 7 minutes à feu moyen-doux, en remuant constamment, jusqu'à ce que le mélange soit croustillant et doré. Versez sur une grande plaque pour refroidir.

Répartissez la compote de pommes dans 6 coupelles à dessert et ajoutez 1 cuillerée à soupe de crème fraîche dans chaque coupelle. Ajoutez la garniture croustillante sur le dessus au moment de servir.

pommes au gingembre meringuées

Prêt en **20 minutes**

Mélangez 740 g de compote de pommes en morceaux, en bocal, avec 2 c. à s. de sucre roux et 1 c. à c. de gingembre moulu. Répartissez dans 4 plats à four ou ramequins individuels. Montez 1 blanc d'œuf en neige dans un saladier. Incorporez 50 g de sucre, 1 cuillerée à la fois, en fouettant constamment. Versez sur les pommes et enfournez 8 à 10 minutes à 180 °C jusqu'à ce que le dessus soit légèrement doré. Servez aussitôt.

cheesecake à la pêche et à la cannelle

Pour **6 personnes**
Prêt en **30 minutes**

250 g de **biscuits secs**, type **petits-beurre**, écrasés
1 c. à c. de **cannelle moulue**
125 g de **beurre** fondu
400 g de **cream cheese Philadelphia®**
120 g de **yaourt à la pêche**
100 g de **sucre glace** tamisé
410 g de **demi-pêches au sirop**, égouttées et coupées en tranches

Dans un saladier, mélangez les biscuits écrasés avec la moitié de la cannelle et le beurre fondu. Tassez au fond d'un moule à manqué de 23 cm de diamètre. Faites durcir au réfrigérateur pendant la préparation de la garniture.

Mettez le cream cheese et le yaourt dans un saladier, incorporez le sucre glace et le reste de la cannelle en fouettant jusqu'à ce que la consistance soit épaisse et lisse. Versez dans le moule et lissez uniformément. Remettez 20 minutes au moins au réfrigérateur.

Découpez des parts et servez avec des tranches de pêche.

pain perdu aux pêches et à la cannelle

Prêt en **20 minutes**

Dans un saladier, fouettez 3 œufs, 1 jaune d'œuf, 125 g de sucre, 1 c. à c. de cannelle moulue et 300 ml de lait. Trempez 3 tranches épaisses de brioche ou de pain dans la préparation de chaque côté. Faites fondre 50 g de beurre dans une grande poêle et faites cuire la brioche ou le pain 2 minutes environ de chaque côté jusqu'à ce que le pain perdu soit doré. Retirez-le de la poêle et recommencez avec 3 autres tranches de brioche. Servez avec des tranches de pêche.

pudding aux raisins

Pour **6 personnes**
Prêt en **30 minutes**

6 c. à s. de **sirop d'érable**
125 g de **beurre** ramolli
125 g de **farine**
½ sachet de **levure chimique**
125 g de **sucre**
2 gros **œufs**
1 c. à c. d'**extrait de vanille** (facultatif)
75 g de **raisins secs**
crème liquide ou **crème anglaise** pour servir (facultatif)

Versez le sirop d'érable dans un plat à four de 20 × 25 cm.

Battez le reste des ingrédients ensemble jusqu'à ce que la préparation blanchisse et soit crémeuse, puis versez sur le sirop d'érable. Enfournez 20 à 25 minutes à 200 °C jusqu'à ce que la pâte soit gonflée et dorée.

Servez avec de la crème liquide ou de la crème anglaise, si vous le souhaitez.

tarte aux pommes et aux raisins secs

Prêt en **20 minutes**

Déroulez 1 pâte sablée de 320 g dans un moule à tarte de 23 cm de diamètre et coupez l'excédent. Piquez le fond avec une fourchette, recouvrez de papier sulfurisé et ajoutez des haricots secs sur le dessus ou du riz cru. Enfournez 12 minutes à 180 °C puis retirez les haricots secs et le papier sulfurisé. Remettez au four 5 minutes de plus jusqu'à ce que la pâte soit croustillante et légèrement dorée. Pelez, épépinez et coupez 4 pommes en tranches. Mettez-les dans une grande poêle avec 50 g de beurre, 50 g de raisins secs, 2 c. à s. de sirop d'érable, ½ c. à c. de cannelle moulue (facultatif) et 1 c. à c. de jus de citron. Faites cuire 10 minutes à feu doux, en remuant, jusqu'à ce que les pommes soient tendres et dorées. Étalez les pommes sur le fond de tarte cuit et servez avec de la glace à la vanille ou de la crème liquide.

sauce au chocolat pour glace

Pour **6 à 8 personnes**
Prêt en **10 minutes**

250 g de **chocolat noir**
3 c. à s. de **sirop de riz**
25 g de **beurre**
100 ml de **crème entière**
glace à la vanille avec des **fruits au sirop** ou **frais** pour servir (facultatif)

Placez le chocolat, le sirop de riz, le beurre et la crème dans une petite casserole sur feu très doux. (Sinon, mettez-les dans un saladier posé sur une casserole d'eau frémissante en veillant à ce que le saladier ne touche pas la surface de l'eau.) Faites fondre le chocolat et le beurre à feu doux, en remuant, jusqu'à ce que le mélange soit lisse et brillant.

Laissez refroidir légèrement, puis servez la sauce avec de la glace à la vanille et des fruits au sirop ou frais.

gâteau au chocolat

Prêt en **30 minutes**

Dans un saladier, battez 175 g de beurre ramolli, 175 g de sucre, 175 g de farine, 2 c. à c. de levure chimique, 2 c. à s. de cacao en poudre tamisé et 3 gros œufs jusqu'à ce que le mélange blanchisse et soit crémeux. Répartissez la pâte dans 2 moules à manqué de 20 cm de diamètre, beurrés et chemisés de papier sulfurisé. Enfournez 20 à 22 minutes à 190 °C jusqu'à ce que les gâteaux soient gonflés et fermes au toucher. Retirez du four, démoulez sur des grilles et décollez le papier sulfurisé. Lorsque les gâteaux ont refroidi, étalez la garniture de votre choix sur l'un des gâteaux puis placez l'autre gâteau sur le dessus. Sinon, servez les gâteaux chauds avec de la glace et la sauce au chocolat ci-dessus.

table des recettes

petits déj' & brunchs

la veille d'exam

plateaux télé

dîners entre amis

desserts

découvrez toute la collection
MA PETITE CUISINE MARABOUT

100 recettes, 5 ingrédients, 10 minutes
200 recettes végétariennes
200 recettes vegan
200 recettes en moins de 20 minutes
200 recettes de soupes
200 recettes à moins de 5 €
100 plats végétariens en 5 ingrédients
200 desserts allégés
200 recettes smoothies